増補改訂版

カブトムシ&クワガタムシ

飼い方のポイント

幼虫・成虫の見つけ方から育て方まで

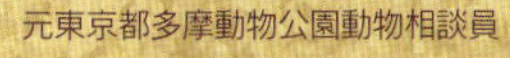

元東京都多摩動物公園動物相談員
小林俊樹　監修

まえがき

昆虫の飼育といえば、養蚕（カイコ）・養蜂（ミツバチ）など産業のためや、害虫駆除を目的とした調査・研究のための飼育などありますが、一般的にはスズムシやキリギリスのような鳴く虫の音を楽しんだり、カブトムシやクワガタムシなどの勇姿・動きをながめ、楽しむために飼育することが多いでしょう。

このような昆虫の飼育をするときには、虫が落ち着いていられる環境を作ってやることが一番大事なことです。それによって虫を丈夫で、長生きさせることができるのです。

そのためには虫の自然界でのくらしを知り、その状態をできるだけ忠実に再現できるように、前もって飼育する虫の習性や、すんでいるところの自然環境、食べ物などについて調べておくとよいでしょう。しかし環境の再現はとても難しく、できない点も多数ありますので、そこは工夫して自然のものに近づけるよう、代用になるものをさがします。

飼育容器、容器内の環境、餌などに工夫が必要で、飼育容器は大きさや容器内の明暗、風通しなども考え、また、逃げ出さないようにふたのしっかりしたものを用意します。特に外来種の虫たちには、在来種の保護の意味からも逃げ出す事のないように充分気をつけましょう。

容器内は、その虫の自然界でのすみかに似た状態になるようにします。

欲しかった虫が手に入ると、いろいろといじりたくなりますが、あまりいじらないように。やたらにいじりまわすと、体の柔らかい虫は傷ついてしまい弱ってしまいます。 またカブトムシ・クワガタムシなどでは、するどい爪、力強い角や顎を持っているので、気を付けないとこれらでけがをさせられます。扱い方にも注意が必要です。

成虫のオス、メスを飼育すると繁殖をさせることもでき、交尾、産卵、孵化などがみられます。 さらにその後の変化や成長の様子を観察していると大変面白いものです。 ぜひ、次の世代を育てることにも挑戦してみてください。

手もとで虫を飼育、観察していると今まで知らなかったこと、一般にもあまり知られていない行動などもみられ、新しい発見があるかも知れません。

この本では、子供たちにとって人気ナンバーワンの昆虫である、カブトムシ・クワガタムシを飼育する場合の注意点など、具体的な例を示して説明しています。これを参考にして自分なりの工夫も加えて飼育してみてください。

元東京都多摩動物公園動物相談員

小林俊樹

目次

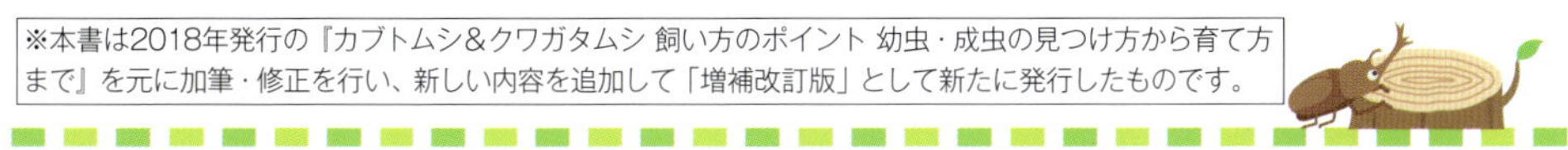

※本書は2018年発行の『カブトムシ&クワガタムシ 飼い方のポイント 幼虫・成虫の見つけ方から育て方まで』を元に加筆・修正を行い、新しい内容を追加して「増補改訂版」として新たに発行したものです。

5章 クワガタムシ

6章 じょうずに育てるための Q&A

1章
世界・日本の
カブトムシ&
クワガタムシ図鑑

世界のカブトムシ・クワガタムシ

カブトムシ

コーカサスオオカブト

体長50～130mmくらい。

インドシナ半島、マレー半島、スマトラ島、ジャワ島に生息。

熱帯アジアでいちばん大きいカブトムシ。頭に1本、胸に3本の角があり、左右の角が長く突き出ている。地域によって角や体の大きさにちがいがある。

アトラスオオカブト

体長45～110mmくらい。

東南アジアに生息。

コーカサスオオカブトとよく似ているが、体はアトラスのほうが小さい。ツヤのある黒い体をしている。

ヘラクレスオオカブト

体長 50～165mm くらい。

ベネズエラ、コロンビア、エクアドル、ペルー、ボリビアに生息。

世界でもっとも大きいカブトムシで、すんでいる地域によって、角の形がちがう亜種にわかれている。

ヘラクレス・ヘラクレス

オスは体長80～165mmくらい。

南アメリカなどに生息。

ヘラクレスオオカブトの亜種で、世界の大型カブトムシのなかでも、とくに大きく、人気も高い。

ケンタウルスオオカブト

体長 40 ~ 85mm くらい。

アフリカの中央部に生息。

アフリカでもっとも大きなカブトムシ。ピカピカに光る体の色が美しく、頭の角と胸の角が同じくらいの長さであるのも、特徴のひとつになっている。

ネプチューンオオカブト

体長 52 ~ 155mm くらい。

南アメリカの北西部に生息。

頭と胸の角が長くのびていて迫力がある。海神「ネプチューン」の名前がつけられたカブトムシ。飼育はしやすい。

エレファスゾウカブト

体長 50~130mm くらい。

メキシコ南東部~南アメリカに生息。

世界のなかでも体重がいちばん重いカブトムシ。オスは全身がビロードのような細かい毛でおおわれている。

アクティオンゾウカブト

体長 50 ~ 130mm くらい。

南アメリカに生息。

ゾウカブトのなかでは大型の種類。体全体が黒い色をしていて、胸の角もふとく、力強い形をしている。

ミヤシタシロカブト

体長78mmくらい。

メキシコ南部プエブラ州テフアカンに生息。

最大で90mmを越える大型のシロカブトで高地に生息し、角が細く、色が白く、毛が多い。

グラントシロカブト

体長40～70mmくらい。

北アメリカ南部などに生息。

体の白さから「ホワイトヘラクレス」とよばれているカブトムシ。角のふとさも特徴となっている。「グラント」とは、南北戦争で活躍した将軍の名前という。

ノコギリタテツノカブト

体長 52 ~ 155mm くらい。

南アメリカの北西部に生息。

ノコギリの刃のようにギザギザした頭の角と、長くのびた胸の角が特徴をあらわしている。長い前あしは、相手をおどかすときにつかう。竹林で竹のしるを吸って生活。

ゴホンツノカブト

体長 40 ~ 80mm くらい。

東南アジアに生息。

頭に1本、胸に4本、あわせて5本の角があるのが特徴となっている。竹林に生息し、その新芽の汁を吸ったり、竹の皮を好んで食べる。見かけとは反対に性格はおとなしく、頭部は黒い色で、羽はうすい茶色をしている。

ティティウスシロカブト

体長70mmくらい。

アメリカ東部に生息。

ティティウスシロカブトの名は、ギリシア神話に登場する全知全能の神ゼウスゼの子、巨人ティティオスによる。フサフサした毛とあめ色の体色が特徴。成虫になってからの休眠期間が長く半年ほど休眠するものもいる。

フィリピンアトラスオオカブト

体長90～110mmくらい。

フィリピン・ミンダナオ島に生息。

最大は110mm近くに迫り、一見コーカサスと見間違えてしまう程の迫力がある。また発達して大きく湾曲をした胸の角が特徴。少しグリーンがかった黒色をしている。

クワガタムシ

タランドゥスオオツヤクワガタ

体長 36 ～ 87mm くらい。

コンゴ、カメルーンなどに生息。

アフリカでは大型のクワガタムシ。カーブした大アゴは短いが、その下側にはタテにへら状の突起があり、先の部分が２つにわかれている。ツヤツヤした体も美しい。

ニジイロクワガタ

体長 23 ～ 68mm くらい。

オーストラリア、ニューギニア島、クイーンズランドなどに生息。

虹色にかがやく体が美しく、人気がある。大アゴは上方向にカーブするように反りかえったタイプは特徴的だ。

アンタエウスオオクワガタ

体長34～86mmくらい。

東南アジアなどに生息。

黒光りしたツヤのあるクワガタで、大アゴのつけ根の近くの突起は目立たない。インドのものは大型で大アゴが大きい、マレー半島のものは大アゴのカーブが強い、タイのものは大アゴが短いなど、地域によってそれぞれ形がちがう。高地に生息していることから、飼育温度には注意を。

ギラファノコギリクワガタ

体長32～107mmくらい。

東南アジアに生息。

大型の仲間に入るクワガタムシ。ジャワ島のものは、体はそれほど大きくないが、すがたが美しいことから人気がある。

オウゴンオニクワガタ

体長 40 ~ 82mm くらい。

東南アジアに生息。

全身が金色にかがやき、美しい。大アゴの先の部分が3つにわかれている。ジャワ島のローゼンベルグが知られ、体の一部に黒いはん点が見られる。

メンガタクワガタ

体長 35 ~ 80mm くらい。

中部アフリカに分布。

オスの頭部の大きな衝立状のでっぱりが特徴的で、名前の由来ともなっている。成虫・幼虫ともに高温多湿の環境を好む。

タイワンシカツノクワガタ

体長 27 ～ 55mm くらい。

台湾に分布。

鹿のような立派な大アゴを持つ。大アゴは根元で大きくL字型にまがり、さきは二股に分かれてる。前胸背板の側面がぎざぎざになっていることも特徴。羽化してから成熟するまでは約 3 ヶ月と短く、その後は5ヶ月前後生きる。

アクベスミヤマクワガタ

体長は 96mm くらいまで育つ。

トルコなどに生息。

大アゴの先端が２つにわかれていて、１番目の歯が少し前方を向いている。

マンディブラリスフタマタクワガタ

体長33～112mmくらい。

スマトラ島、ボルネオ島に生息。

フタマタクワガタの仲間では体長がいちばん長い。大アゴも長く、迫力がある。

グランディスオオクワガタ

体長が90mmくらいのものがある。

ラオス、ベトナムなど東南アジアに生息。

日本のオオクワガタにくらべ、体全体がふとく、がっしりとしたすがたをしている。

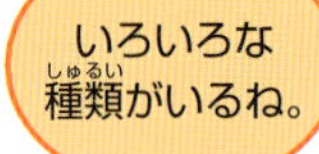

日本のカブトムシ・クワガタムシ

カブトムシ

カブトムシ

体長 30 ~ 55mm くらい。

本州～沖縄に生息。

昆虫のなかでも人気者。オスには大きな角がある。オキナワカブトムシ、クメジマカブトムシという亜種がある。

コカブトムシ

体長 18 ~ 26mm くらい。

北海道～沖縄に分布。

小型のカブトムシでオスの角も小さい。タテにならんだ線が前羽に入っている。

タイワンカブトムシ

体長 38 ~ 44mm くらい。

沖縄や八重山諸島に生息。

成虫はサトウキビやパイナップルなどを食べてしまうので、害虫とされている。

クロマルコガネ

体長 12 ~ 17mm くらい。

トカラ列島の宝島に生息。

日本のカブトムシのなかではいちばん小さい。メスだけでなく、オスにも角がない。

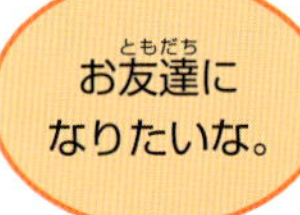

クワガタムシ

オオクワガタ

体長 20 ~ 75mm くらい。

北海道~九州、対馬に生息。

もっとも大きく、人気の高いクワガタムシ。大アゴのふとくはりだしたすがたが特徴になっている。

コクワガタ

体長 20 ~ 53mm くらい。

北海道～九州、対馬に生息。

日本の本土に広く分布していて、もっともよく見かけるクワガタムシ。

アカアシクワガタ

体長 23 ~ 57mm くらい。

北海道～九州、対馬に生息。

標高 900m 前後で、ヤナギなどの木が多い場所で見つけることができる。足のつけ根が赤いのが特徴になっている。

ヒラタクワガタ

体長 20 ~ 75mm くらい。

本州～八重山諸島に分布。

大型のクワガタムシで、平たい形をしている。成虫はシイ類の木の樹液に集まってくる。

ノコギリクワガタ

体長25～74mmくらい。

北海道～九州などに分布。

多くは低地の雑木林に生息している。大アゴがノコギリのような形をしているので、わかりやすい。

アマミノコギリクワガタ

体長76mmくらいまで成長するものもいる。

奄美大島に生息。

本州のノコギリクワガタにくらべ、カッコウがいい個体が多く、人気もある。

ミヤマクワガタ

体長25～76mmくらい。

北海道～九州に分布。

大型のクワガタムシの仲間で、エラのような形をした頭が特徴になっている。北のほうでは低地に見られ、南のほうでは少し高い山に生息している。

スジクワガタ

体長14～38mmくらい。

北海道～九州、対馬、屋久島などに分布。

前羽にタテのすじが入っている。標高の少し高い場所で見られる。

オニクワガタ

体長16～25mmくらい。

北海道～九州に分布。

標高の高いブナ林などに生息している。オスの大アゴの形は少し上向きで、オニの角のように見える。

キュウシュウヒメオオクワガタ

体長47mm前後くらい。

九州全域に分布。

頭部・前胸・上翅が短く、幅が広い。高い山のヤナギ類やノリウツギなどの木々にみられる。

ネブトクワガタ

体長 12 ~ 28mm くらい。

本州~沖縄など広く分布。

モミなどの木の樹液に集まることが多い。

チビクワガタ

体長 9 ~ 16mm くらい。

本州中部~四国、九州に分布。

成虫になっても、幼虫のときの朽ち木のなかにすんでいることが多い。ほかの昆虫の幼虫などを食べる

リュウキュウコクワガタ

体長 21 ~ 35mm くらい。

奄美群島、沖縄諸島、八重山諸島などに分布。

日本のコクワガタの仲間では最も小さい種で、広葉樹の森林に生息。

2章

出かける前に用意しよう！

おすすめの服装＆道具

1

夏に出かけるときでも、虫にさされたり、ケガをしないようにするため、かならず長そでのシャツ、長ズボンにしましょう。帽子もかぶってね。また、手を守るために、軍手も必要だよ。

2

虫とりアミと虫カゴは、カブトムシやクワガタムシをつかまえるときに必要な道具です。

カブトムシやクワガタムシの成虫を探すときは夜のことが多いから、雑木林のなかは暗いので、懐中電灯を持っていこうね。

クワガタムシの幼虫をみつけたときに、あると便利なのが、仕切りのあるプラスチックケース。

3　リュックサック（デイパック）のなかには、お弁当のほかに、虫よけスプレー、虫さされ薬、水筒、タオル、ティッシュペーパー、シャベルなどを入れて持っていこうね。

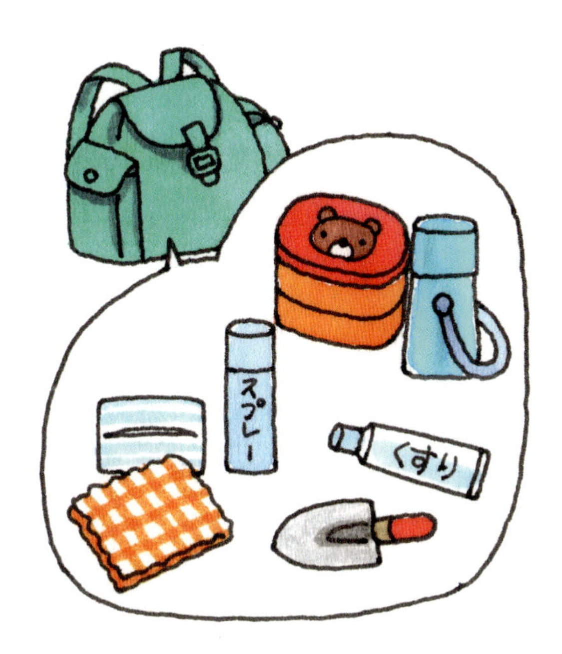

甘いミツを作って持っていこう！

カブトムシやクワガタムシをつかまえるには、ちょっとしたしかけをすると、効果があります。そのしかけとして役に立つのが、甘いミツ。出かける前に、次の3つのうち、どれかを作っておきましょう。

甘いミツ 1

鍋にお湯と黒ざとうを2対1の割合で入れて火にかけ、トロトロの状態になるまでまぜたら、お酒と酢を少し入れて、冷ます。

できあがったミツをスポンジにしみこませたら、横に長いスポンジの真ん中あたりに針金を通しておくこと。これをビニール袋に入れて、持っていこう。

甘いミツ 2

鍋に焼酎1カップと黒ざとう大さじ1杯を入れて火にかけ、皮が黒くなったくらいのバナナを皮つきのまま切って加え、煮る。

冷めてから、ビンや食品保存用の袋などに入れて、持っていこう。

甘いミツ 3

ビンのなかにお酒1カップと、さとう1／2カップを入れ、バナナとパイナップルを適当に切って加え、まぜ合わせる。ビンを太陽にあてて発酵させると、できあがり。これを持っていこう。

3章 カブトムシ＆クワガタムシの見つけ方

カブトムシとクワガタムシのちがいはどこ？

カブトムシとクワガタムシの体のちがいは、どこにあるのでしょう？　クワガタムシの体はカブトムシに比べて、平たい形をしていますが、生活している場所が木のすき間などのため、そこに入りやすいようになっているのです。

カブトムシの特徴として、先端の部分が４つに分かれた長い角（頭角）と、２つに分かれた短い角（胸角）があるけれど、この角は頭や胸の皮ふが変化してできたものといわれます。

ここが大きなちがいで、大アゴが発達したクワガタムシの大きなアゴとは動き方もちがうのです。

鼻の役わりをするしょっ角、耳の役わりをする細かい毛、味を感じることができる小アゴひげなどはクワガタムシも同じだけれど、カブトムシのしょっ角はふとくて短く、センスのように広がります。でも、クワガタムシのしょっ角は細長く、クシのような形をしているのです。

カブトムシの体は丸くてずんぐりしていますが、これに比べて、クワガタムシは平べったく、もっとスマートです。

また、クワガタムシの足はカブトムシにくらべると細く、足にはえているトゲの数も少なくなっています。

カブトムシ&クワガタムシを見つけるためにいろいろな方法をためしてみよう!

せっかく、カブトムシやクワガタムシをつかまえるために、雑木林に出かけていっても、一匹も見つからないのではガッカリ。そこで、できるだけいろいろな方法をためして、ぜひ、つかまえられるように、がんばってみましょう。

雑木林のなかをよく注意して見て回る

基本は、カブトムシやクワガタムシの成虫のところで説明したとおり、好きな樹液を出す木を見つけること。

木からしみ出る甘いしるのまわりは、虫たちがいることの多い場所だから、一番さがしやすいのです。自分の目の位置だけでなく、木の高いところまで注意ぶかく見て、よくさがしましょう。

木の上のほうを見終わったら、こんどは、木の根元あたりに目を向けましょう。このあたりにも、成虫がいることがあるので、まわりの落ち葉の下などもさがしながら、見て回ろうね。

明かりが好きな性質を利用して、光のワナを！

カブトムシやクワガタムシには、夜になると、明かりに集まってくる性質があります。これを利用して、光のワナをしかけるのもいい方法です。

光のワナのしかけ方は、次の順番でおこないましょう。

1 木と木の間が１～２ｍくらい開いている２つの木の枝に白いシーツなどを広げて掛けます。シーツのはしっこを枝に結んだり、ヒモやテープでとめましょう。

2 大型の懐中電灯やキャンプ用のランタンなどを2～3コ用意して、明かりをつけて白いシーツを照らします。

光にさそわれて、カブトムシやクワガタムシが集まってきますよ！　種類によるけれど、メスのほうが多く飛んでくるようです。

3 この光のワナのほかに、カブトムシやクワガタムシのいる地域に外灯が立っていたら、その外灯のまわりを夜に見て回るのも、方法のひとつです。

出かける前に作った甘いミツをしかける

24ページで説明した3つの甘いミツのうち、どれか1つを作ったら、それを持っていき、昼間のうちに、木につるしましょう。

甘いミツは、カブトムシやクワガタムシが好きな樹液に似ているから、ニオイにさそわれて夜に集まってくるよ。

●甘いミツ 1

ミツがしみこんだスポンジに通した針金を木の枝にくくりつけましょう。これで、しかけは終わり！

●甘いミツ 2

ビンなどに入った甘いミツをストッキングに入れ、ストッキングを木に結んで、ワナをしかけます。

●甘いミツ 3

2と同じように、ビンに入っているミツとパイナップル、バナナをストッキングに入れ、木につるします。2も3も、ミツがストッキングからたれてくるので、これを利用して、虫たちを呼びよせましょう。

甘いミツにさそわれて、虫たちが飛んできたら、うれしいね！

木にワナをしかけるとき、枝にハンカチなどを結んでおくと、夜にその木を見つけるのに便利です。

朽ち木や木の皮をけずってみる

カブトムシの成虫が土のなかにかくれていたり、腐葉土のなかなどに幼虫がいるように、クワガタムシを見つけるには、くさりかけた木（朽ち木）や、クヌギ、コナラなどの木の皮をけずってみるのも、１つの方法です。

木の皮の間には成虫、朽ち木のなかには幼虫がいるかもしれないので、ためしてみましょう。

木をけずるためには、マイナスドライバーが必要。細かい木クズを取るには、ピンセットがあるとやりやすいよ。手を守るために軍手も忘れないでね。

朽ち木の表面を割るときも、ドライバーがあると便利だけど、これを子どもだけでやるのは危ないから、かならず、大人の人といっしょにね。

少しずつけずっていき、幼虫が食べたあとが見つかったら、さらに少しずつけずってみましょう。

朽ち木や木の皮をけずってみよう

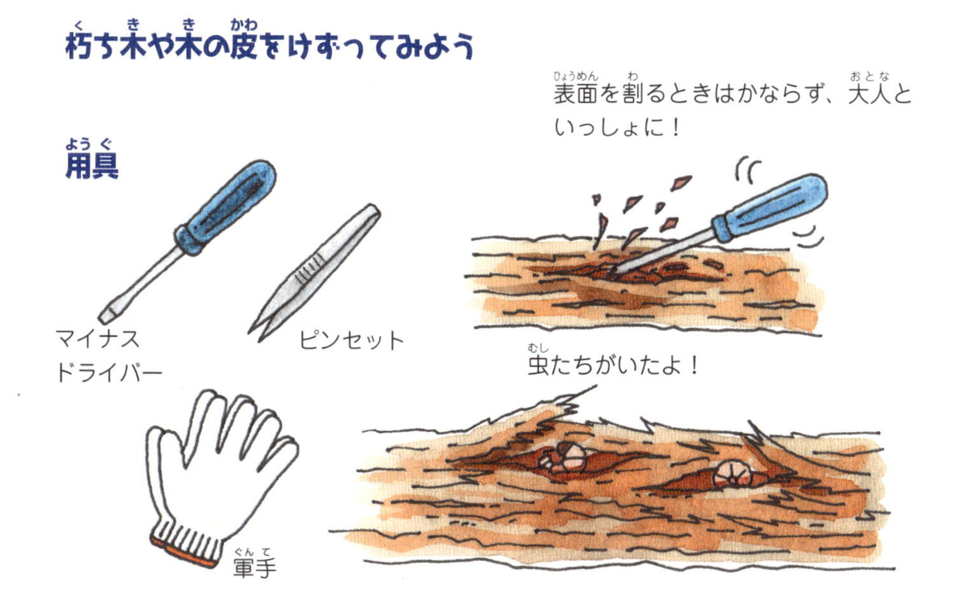

雑木林では、こんなことに注意しよう!

カブトムシやクワガタムシを見つけたり、つかまえることに夢中になっていると、木の根元などにつまずいてケガをするかもしれないので気をつけてね。とくに、ハチにさされたりすると危険ですから、注意しましょう。

スズメバチに近づかないこと

明るいうちでも、樹液の出る木には、ハチなども集まってきます。もし、スズメバチを見かけたら、その木のそばにはゼッタイに行かないでね。黒や黄色の洋服、帽子などを身につけていると、攻撃されやすいので、色にも注意が必要です。

マムシにかまれないように気をつける

もうひとつ、コワイのはマムシ。地域によっては、マムシがかくれていることもあるので、雑木林のなかでは足下によく注意しましょう。また、危険から身を守るために、朽ち木をさわるときも、木の下などにあまり手を入れないようにしてね。

運よくつかまえて、持ち帰るときも大切に！

カブトムシやクワガタムシをつかまえることができても、夏の太陽が照りつけるところでは、体が黒いために温度が上がってしまい、少しずつ体がよわってきます。持ち帰るときには、次のことに気をつけて、大切にあつかいましょう。

注意 1

自動車で出かけたとき、クーラーをとめた車のなかは温度が高くなりますし、日光のあたる場所も虫の体がよわりやすいので、ゼッタイに置きっぱなしにはしないこと。

注意 2

カブトムシやクワガタムシを入れた虫カゴやケースをあまり振り回さないように！　しずかに持ち帰りましょう。

注意 3

もし、たくさんつかまえることができても、１つのケースにいっしょに入れないで、いくつかのケースに分けて持ち帰ってね。ケースのなかに、小さな枝を入れるのもオススメです。

昆虫ショップなら、お気に入りのものが見つかる?

昆虫ショップでは外国産や日本産のカブトムシ&クワガタムシを売っているところがあり、インターネットの通販で手に入るショップもあります。これらのショップには、家で成虫や幼虫を飼うときに役立つ飼育用品も販売されていて便利です。

プロショップ　ビートルファーム

オオクワガタが中心の国内外のカブトムシ・クワガタムシ専門店。多くの外国産昆虫が輸入されているなか、ファンの人気が高く、愛されている国産のオオクワガタに力を入れていて、店長のオオクワガタの飼育歴は30年以上になり、産地別のオオクワガタの収集につとめているそうです。

時期によって手に入れられる種類がちがうこともありますが、世界の各地域に生息しているクワガタムシやカブトムシの幼虫を手に入れて、家で飼って育ててみてはいかがですか。

もちろん、人気ナンバーワンのオオクワガタの幼虫も、入門用としては飼育しやすいといわれ、日本のなかでも産地はいろいろあるので、産地やサイズにこだわってみることもできます。

オオクワガタの成虫（オス）

幼虫を育てるとき、成虫を飼うときに役立つ飼育用品

1 菌糸ビン

クワガタムシの幼虫を大きな成虫に育てるには、この菌糸ビンがおすすめ。菌糸は生きているため、幼虫を入れたビンは室内の温度を20度〜25度くらいにして、直射日光のあたらない場所に保存するように。新しい菌糸ビンに取りかえるときなど、幼虫が入っていないビンは冷蔵庫に入れておくと長持ちするそうです。

このビンがあると、幼虫がサナギへと成長していくようすも見られます。

市販の菌糸びんで飼育

2 昆虫ゼリーとエサ台

昆虫用ゼリーはカブトムシやクワガタムシの成虫のエサとして使われるほかに、産卵する前のメスのタンパクをおぎなうためにも必要なものといわれます。

昆虫ゼリーとエサ台のいろいろ

ゼリーには、天然の樹液を分解して作られたもので虫に必要な栄養素をバランスよくふくんでいるものや、長生きさせることを目的としたビタミンゼリーなど、5種類ほどが販売されていて、ミニケースに入ったものを袋に詰めたもの、カップ入りのものがあります。

また、昆虫ゼリーをおくための「エサ台」もあると便利です。

エサ台にゼリーをきちんとのせてあげると、成虫はエサをたおすこともないので安心。飼育ケースのなかにエサ場を作ってください。ゼリーもよごれにくくなるので、終わりまでたべやすくなるでしょう。

エサ台は穴が1つのタイプ、穴2つのもので木製とプラスチック製があります。

3 ダニやコバエをふせぐ用品

強力な吸引剤を使って、黒いドーム内の粘着シートでコバエをつかまえる「Drコバエブラック」は、コバエが集まりそうな場所におくといいでしょう。

昆虫ダニクリーナーミスト、ダニとりツインブラシ、ダニとりスティックは、飼育ケースのなかにダニがはいるのをふせいだり、成虫にダニがついたときに取るのに役立ちます。

ほかに、飼育ケースに入っているエサを取りかえるときにあると便利な「昆虫用ピンセット」や、

ダニやコバエをふせぐ用品のいろいろ

幼虫期間の長いカブトムシの飼育やクワガタムシに冬を越させるときの湿度をたもつために効果的な「昆虫マットの水分ジェル」なども、おすすめの用品。

4 飼育ケース（コバエシャッター）

専用のフィルターによって、コバエが入ってくるのをふせぎ、ケース内の湿度をたもつ効果にすぐれた飼育ケースです。

ケースのサイズは、ミニタイプから小、中、大まで５種類ほどあります。カブトムシやクワガタムシの成虫の大きさに合わせて選ぶことができるし、幼虫を育てるときや、メスが産卵しやすいケースとして使えるものもあります。

サイズを選ぶときには、どの大きさのものを利用するといいかをショップの人に相談してみるのもいいでしょう。

5 産卵木（朽ち木）

クワガタムシの成虫のメスが産卵するときに、ちょうどよい状態になっている朽ち木です。産卵木にはクヌギやコナラの朽ち木が使われていますが、木の中心部のかたいシンが少なく、実際にこのショップで産卵するときに使われている木が選ばれているので、安

大小さまざまな飼育ケース

心して利用できそうです。

朽ち木を使う前には、しばらく水にひたして、木に水分をあたえておくようにしましょう。

市販の朽ち木

6 昆虫マット

カブトムシやクワガタムシを飼育するときに必要な用品が、昆虫用のマットです。

昆虫マットを大きくわけると、成虫飼育の管理用マット、産卵用マット、幼虫用（エサ）マットの3つがあり、このショップでは5種類を用意しています。

それぞれの使い道に合わせて選ばれたマットなので、たくさんある昆虫マットのなかからどれを使ったらいいかわからないときなどに、利用してみるといいでしょう。

※なお、ビートルファームはインターネットでの通信販売もしているので、ホームページを見てカブトムシやクワガタムシを手に入れたり、飼育用品を買うこともできます。

ビートルファーム

●住所
埼玉県蕨市錦町2-19-19

●電話・ファクス
048-445-6410

●営業時間
平日 15時～ 19時
土曜・日曜・祝日 13時～ 19時

●定休日・水曜・木曜

★URL
http://www.beetle-farm.com/

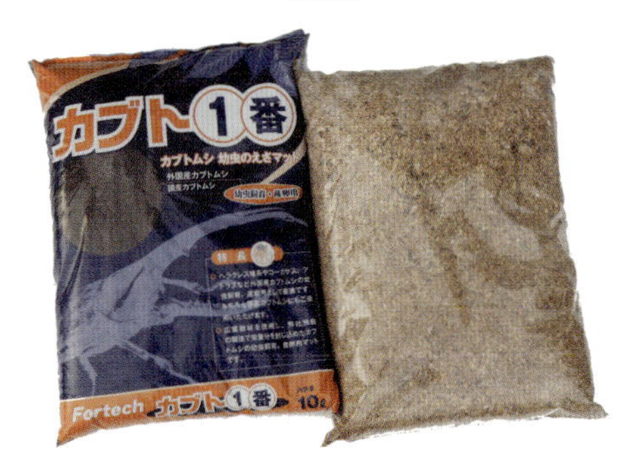

市販のエサマット

4章
カブトムシ

カブトムシはどこにいる？

カブトムシも、クワガタムシのほとんどの種類も、夜になると、甘い木のしるを吸いたくて雑木林に集まってきます。明るい昼間のうちに、そういう場所を探して、見つけておきましょう。

成虫がいる場所

カブトムシは、森や林のなかにあるクヌギ、コナラなどの木からしみ出る甘いしる（樹液）が大好きなのです。カブトムシは夜行性の昆虫だから、成虫になると、夜の間に、樹液を多く出す木に集まってきます。

昼の間は、これらの木の根元の土のなかや、木のまわりの落ち葉の下にもぐって眠っています。根元のあたりで、やわらかくなっている土を見つけたら、そこを掘ってみるといいよ。

成虫を見つける期間

カブトムシの成虫をつかまえることができるのは、7月上旬から9月上旬にかけての期間が一般的です。そのなかでも、成虫の数が増えて、多く見られるようになるのは、7月下旬から8月中旬までのころだよ。だから、このころに、雑木林に出かけていって、あちらこちらを探してみましょう。

8月中旬をすぎると、メスは産卵のために飛び立ってしまうから、甘いしるを出す木のまわりに集まるのは、オスがほとんどになるといわれています。

活動を始めるのはなんじごろ？

カブトムシの成虫は、夜の6時から7時ごろ、気温が下がってすずしくなると、眠っていた場所から出てきます。

そのあと、8時から9時ごろになると、樹液の出る木に集まって甘いしるを吸ったり、仲間を求めて飛び回ったり、活発に動き始めます。成虫の活動は夜中の2時ごろまで続きますが、夜明け前には、木のまわりからはなれて、眠る場所に帰っていくのです。

成虫が昼間ゆっくり休んでいるのは、体が黒っぽいため、太陽の強い日差しを受けると体温が高くなりすぎるからです。土のなかなどにもぐって、地上に出ることはほとんどないようです。

甘いしるの木に集まらない成虫もいる？

コカブトムシ（小型のカブトムシの一種）の成虫は、カブトムシのサナギやミミズなどを食べて生活しているので、甘いしるの出る木に集まることはありません。

また、カブトムシの多くは、夏が終わると死んでしまいますが、コカブトムシの成虫のなかには、冬の間も生きているものもいるようです。

タイワンカブトムシ（日本の沖縄地方などに生息）の成虫は、よく熟れたサトウキビやパイナップルなどを食べます。外での活動がいちばん活発になるのは6月から9月ごろで、冬でもほんの少しですが、見つけることができるといわれています。

カブトムシのオス

幼虫がいる場所

カブトムシの幼虫は、たくさん積まれて重なった落ち葉がくさってできた腐葉土のなかや、くさってやわらかくなった古い朽ち木のなか、シイタケ栽培に使われたホダ木（廃材）の置き場などにいることが多いのです。

なかでも、クヌギやコナラなどがたくさんはえている林は、幼虫を見つけやすいので、こういう場所を探して、腐葉土や朽ち木のなかなどを掘ってみましょう。運がよければ、一度に何匹もの幼虫を見つけることができるよ！

アブデルスツノカブトのサナギ

幼虫を見つける期間

カブトムシの幼虫を見つけてつかまえることができるシーズンは、９月ごろから翌年の４～５月ごろにかけてです。

９月でも見つけることができるのは、成長が早いカブトムシが２度目の脱皮をした幼虫になっているからです。でも、このころはまだ数が少ないので、幼虫が大きく育った４月から５月ごろにかけて見つけるほうが、もっと確実につかまえることができるでしょう。

アブデルスツノカブトの成虫（オス）

地面や朽ち木を掘ってつかまえよう！

カブトムシの幼虫を見つけるには、腐葉土や朽ち木のなかを、小さなスコップやシャベルなどを使って、少しずつ掘ってみましょう。

気温が高くなってくると、幼虫は外のほうへ動いてくるので、やわらかい体をシャベルの先で傷つけないように、よく気をつけて掘ってね。

幼虫を見つけることができたら、その場所にあった腐葉土などを、小さな容器に敷きつめるように入れてから、幼虫をそっとその上にのせましょう。

また、容器に入れた腐葉土などのほかに、幼虫を見つけた場所の腐葉土や朽ち木の木クズなどをビニール袋に入れて、持って帰るのも忘れないでね。これが、幼虫を育てるエサになるからです。

■カブトムシの幼虫をつかまえるのに必要な道具

軍手　ビニール袋　小型のスコップやシャベル　小さな容器（幼虫を入れやすいように入れ物の口の広いビン、プラスチックの飼育ケースなど）

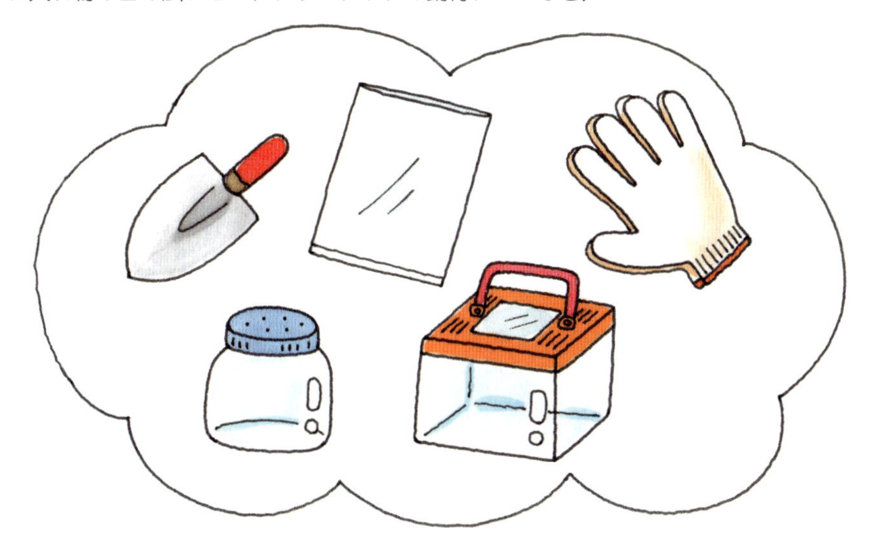

日本にいるカブトムシのことをよく知ろう！

みんなが知っているカブトムシは日本の各所で見かけることができますが、日本にいるカブトムシには仲間がいます。どんな仲間がいるのでしょうか？

日本にすんでいるカブトムシは4種類

カブトムシのほかには、コカブトムシ、タイワンカブトムシ、クロマルコガネが日本にすんでいて、全部で4種類です。

カブトムシはほとんど全国にいますが、北海道にいるのは人の手によって持ちこまれたものといわれています。コカブトムシも全国各地にすんでいますが、タイワンカブトムシは沖縄方面、クロマルコガネはトカラ列島など南の地域で見ることができます。

同じ仲間でも、角がない種類もある

カブトムシといえば、りっぱな角がはえているよね。それが特徴のひとつになっているけれど、仲間のなかでも、体がいちばん小さいクロマルコガネには、オスにもメスにも角がないのです。

また、4種類のそれぞれの特徴については、図鑑のところで紹介します。

カブトムシの体はどうなっているのだろう？

カブトムシの体は骨がないかわりに、体をささえたり、守るために、体ぜんたいがかたい皮ふにおおわれているのが特徴となっています。

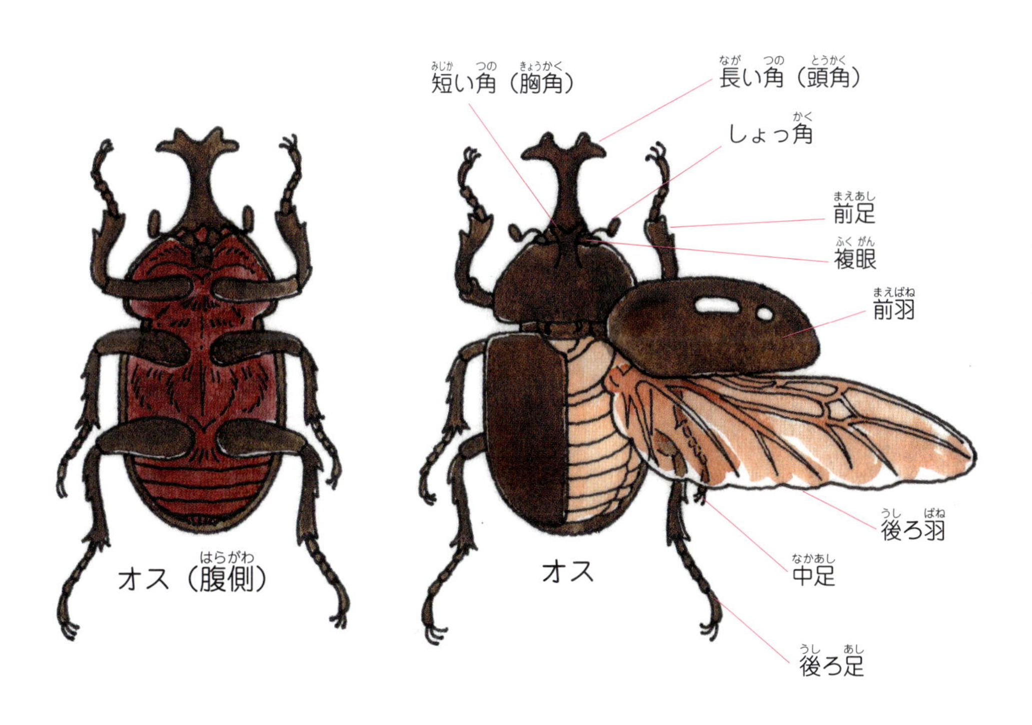

成虫の体の各所の特徴や役わり

カブトムシのオスの頭には長い角（頭角）があり、胸から短い角（胸角）が出ています。

頭の左右には１つずつ「複眼」という目があるけれど、この複眼は約２万コの小さな目が集まってできているといわれます。ただ、カブトムシは夜の間に活動をするため、目はあまり使わないので、昼の間に活動するチョウやトンボのようには、目はよくないようです。

しょっ角は、くらい場所でもエサのあるところをさがしたり、甘いしるのニオイを感じる鼻のような役わりをしています。

頭の先の部分にある口は、ブラシのようになっていて、好きな樹液を吸うときに使われるのです。また、口のまわりにはえている毛で、甘さを感じることができるといわれています。

背中には、前羽と後ろ羽がはえており、前足、中足、後ろ足の先には、エサを食べるときに、木にしっかりとつかまっていられるように、するどいツメやトゲがはえています。

カブトムシのおなかの各節には左右に「気門」という小さな穴があいていて、この穴から空気を吸いこんで呼吸をしています。

アトラスオオカブトの成虫（オス）

体のなかには大事なものがいっぱい！

カブトムシの成虫のかたい体のなかには、生きていくために必要な筋肉や内臓などがたくさんあります。とくに、羽根を動かす筋肉や足の筋肉は発達しているといわれています。

心臓は、背中の部分にある細長い管のような形をしている器官（背脈管）です。

また、食べ物を消化・吸収する器官として、おなかの部分に中腸と後腸があり、中腸でエサを消化して、栄養分を吸収しているのです。

体のなかで必要がないものは「マルピーギ管」が取りのぞいてくれます。このマルピーギ管で取りのぞかれたものは、おしっことなって後腸にながれていき、フンといっしょに外へ出ていくのです。

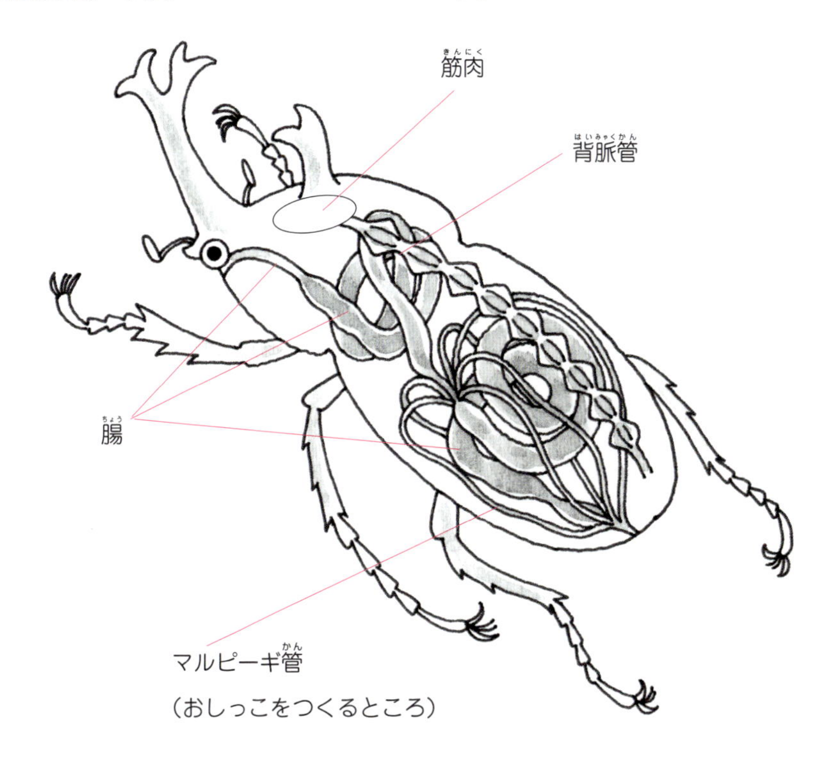

成虫のオスとメスのちがいはどこ？

1 メスには角がない

体はメスのほうがオスよりも少し小さく、ずんぐりした体形をしています。オスの頭には角があるけれど、メスにはありません。

これは、オスは結婚相手をもとめて、ほかのオスとたたかうときの武器として角を使っていますが、メスはその必要がないからです。

もうひとつは、卵を産むためにメスは土のなかを掘るのだけれど、角があるとジャマになって土を掘れないから、ともいわれています。

2 メスの体には細かい毛がはえている

メスには、胸や前羽のあたりに、細かい毛がはえています。この毛があることで、卵を産むために土のなかにもぐっても、体を守ってくれますし、体に汚れがつかないようにふせいでくれるのです。

足のツメやトゲは、メスのほうがオスよりもするどく、土を掘るときにも便利。また、土を掘りやすくするために、メスはオスよりも前足が短く、つけ根のあたりも少しふといようです。

カブトムシの成虫（メス）

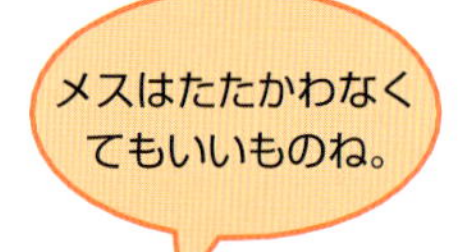

幼虫の体の特徴や役わり

幼虫の顔には、腐葉土（落ち葉が積み重なり、くさってできたもの）を食べるための大きなアゴがありますが、これは成虫にはないものといわれています。しょっ角もあるけれど、目はありません。

体は、成虫のようにかたい皮ふにおおわれていないので、やわらかくブヨブヨしていて、そのなかには、脳や食道、心臓（背脈管）、長い腸などがあります。体の左右には、成虫と同じように気門（小さな穴）があり、呼吸もしています。

幼虫はこんな姿だよ

幼虫のオスとメスの見分け方

幼虫のおしりの部分に、灰色のV字形のマークがあるかないかで、見分けることができます。おしりの先のほうをよく見てみましょう。V字形のマークが見つかったらオスで、メスには、このマークがありません。

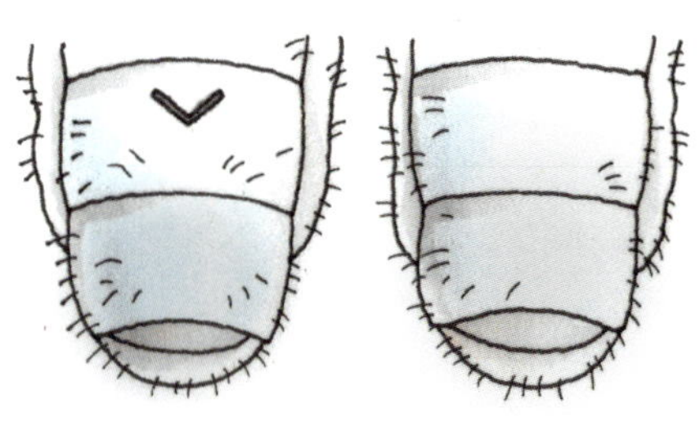

カブトムシの一生と成長のしかた

カブトムシの一生は1年あまりで、とても短いのです。卵から幼虫、サナギ、成虫へと成長していきますが、どのように成長するのかを見てみましょう。

カブトムシの成虫の活動期間は1〜2カ月

卵からかえったカブトムシの幼虫は3回、脱皮しながら大きくなります。その期間はクワガタムシが一般的に1〜2年であるのにくらべ、1年にもならないうちに成虫になるのです。また、成虫になると野外に脱出し、活動を始めてから1〜2カ月ほどで、死んでしまいます。

朽ち木を食べながら大きくなる

3れいの幼虫

コカブトムシは成虫になるのが早い！

カブトムシのなかでも、少しちがう一生をおくるのはコカブトムシで、卵から２～３カ月ほどで成虫になります。

ふつう、５月から10月ごろに産み落とされた卵は、約１カ月半の幼虫期間をすごしたあと、サナギとなり、２週間ほどで成虫になるのです。

７月ごろに羽化した幼虫は、よう室（サナギになるための部屋）のなかで１カ月ほどをすごしてから、屋外に出て、活動を始めます。

おそい時期（９月～10月ごろ）に産卵された卵は、３カ月ほどかけて成虫となり、よう室のなかで冬を越して、翌年の５月から６月ごろに外に出て、活動します。

その一方、幼虫のまま冬を越して、４月から５月にかけてサナギから成虫になり、６月ごろから活動を始めるものもいます。

ネプチューンオオカブトの成虫（オス）

ネプチューンオオカブトの羽化後の様子（オス）

交尾を終えて、産卵する

1 どんな場所で交尾をする?

カブトムシのオスとメスが出会うのは、クヌギやコナラなどの木の樹液のそば。夏の間に、オスはメスの出すニオイにさそわれ、気に入った相手を見つけたら、おたがいが同じ種類であることをたしかめてから、オスは交尾器をメスの体に差しこんで交尾をするのです。

一般的に、交尾は夜におこなわれますが、メスは交尾を終えて約10日後、体のなかで卵が成熟してくると、卵を産む場所をさがしに行きます。

2 卵はいくつくらい産まれる?

カブトムシのメスは、腐葉土や、やわらかい朽ち木などを見つけたら、その下にもぐりこみ、卵を産みます。

このとき、少し間をあけながら1コずつ産みますが、1匹のメスからは20～30コの卵が産まれるといわれています。

産まれたばかりの卵は白く、少し細長い丸形をしていますが、数日後には初めの2倍くらいの大きさになり、色もうすい茶色になってきます。

卵から幼虫が出てくる

1 何日くらいで幼虫になる？

卵が約２倍にふくらんだあと、２週間くらいすると、幼虫は大アゴで卵のカラのよわくなったところをかじり、そこを破って頭を出します。

このように、卵のなかから幼虫が出てくることを「ふ化」といいます。

出てきたばかりの幼虫は白っぽい色で、体の長さは８mm前後と、とても小さいのです。

2 幼虫は３回、脱皮して大きくなる？

幼虫は、腐葉土などのエサを食べながら成長しますが、体をおおう皮（皮ふ）が小さくなってくると、その皮を脱ぎます。このようすを「脱皮」といい、脱皮をくりかえしながら、幼虫は大きくなります。

最初の幼虫は「１れい幼虫」といい、９月から10月ごろに脱皮して「２れい幼虫」となり、10月から11月ごろの２回目の脱皮で「３れい幼虫」となって冬を越します。

その後、３回目の脱皮をして、サナギになっていくのです。

テルシテスヒメゾウカブトのサナギ

羽化直後のテルシテスヒメゾウカブト。成虫と比べて体が柔らかく、色がまだ薄い。

テルシテスヒメゾウカブトの成虫（オス）

サナギになるための「よう室」を作る

カブトムシは成虫になる前の数週間を、サナギという形ですごしますが、幼虫がサナギになることを「よう化」といいます。

約10カ月の間にしっかり成長した幼虫（体長約10～12cm）は、6月ごろになると、サナギになるための「よう室」という部屋を作ります。

よう室は、体をくねらせ、まわりの土をおし固めて作ったタテ長の部屋です。このなかで幼虫は「前よう」となり、まっすぐに立つと、よう化が始まります。

サナギになるために、体をクネクネさせながら、頭から背中にかけて皮を脱いでいき、脱皮を終えてサナギがあらわれます。サナギは最初、色が白く、皮ふも柔らかいけれど、しばらくすると茶色に変わり、皮ふも固くなってきます。

■人工よう室の作り方

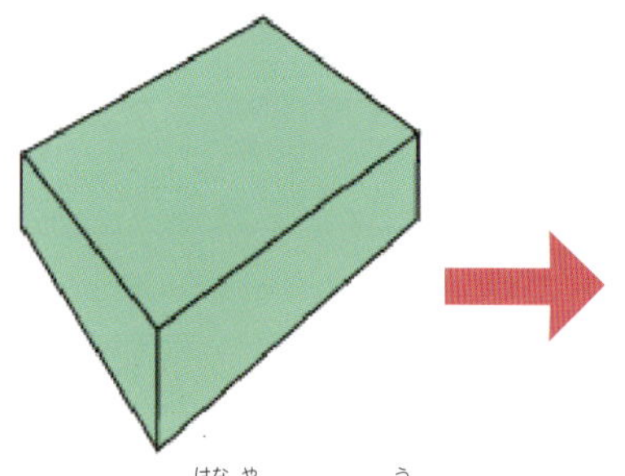

オアシス（花屋さんで売ってるよ）は、作る人工よう室よりも一回りくらい大きく切り分けます

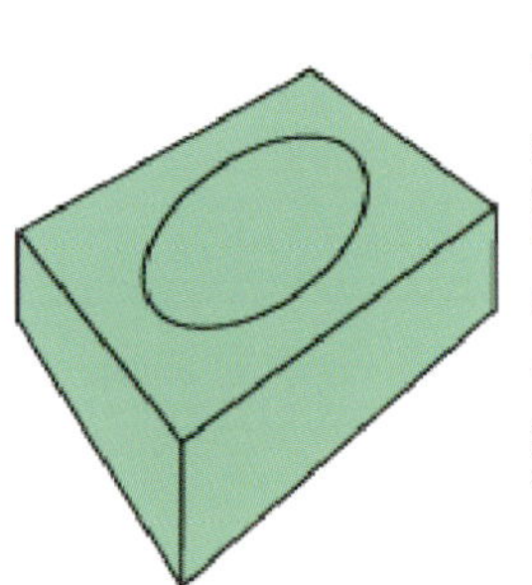

サナギが入りそうなおおきさ（体の幅の2倍くらい）をオアシスにペンでしるしをつけ、穴を掘ります。

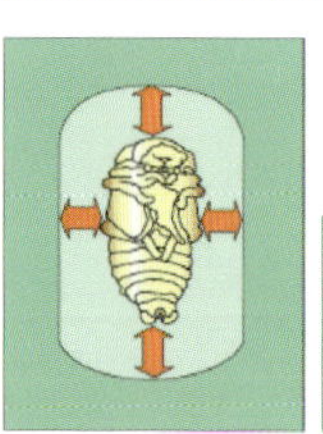

上から見た時

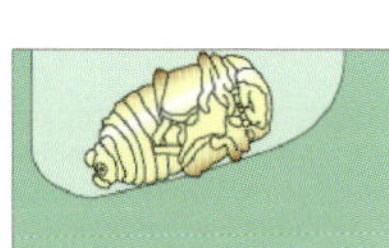

横から見た時

「羽化」が始まり、サナギから成虫へ

サナギになって3週間ほどたつと、カラのなかで成虫の体ができあがってきます。オスの場合には、サナギのときにすでに、角もできているよ。

サナギのカラのなかで、さかんに動き出して「羽化」が始まると、体をのばしたり、ちぢめたりしながら、カラを脱いでいき、なかから成虫が姿を見せます。

成虫になってすぐは、頭や胸などは黒っぽい色だけれど、前羽は色が白く、やわらか。でも、1日もすると色は濃くなり、体も固くなってきます。

そして、1～2週間たつと、体が固まった成虫は、よう室から土の外に出て、すがたが見られるようになるのです。

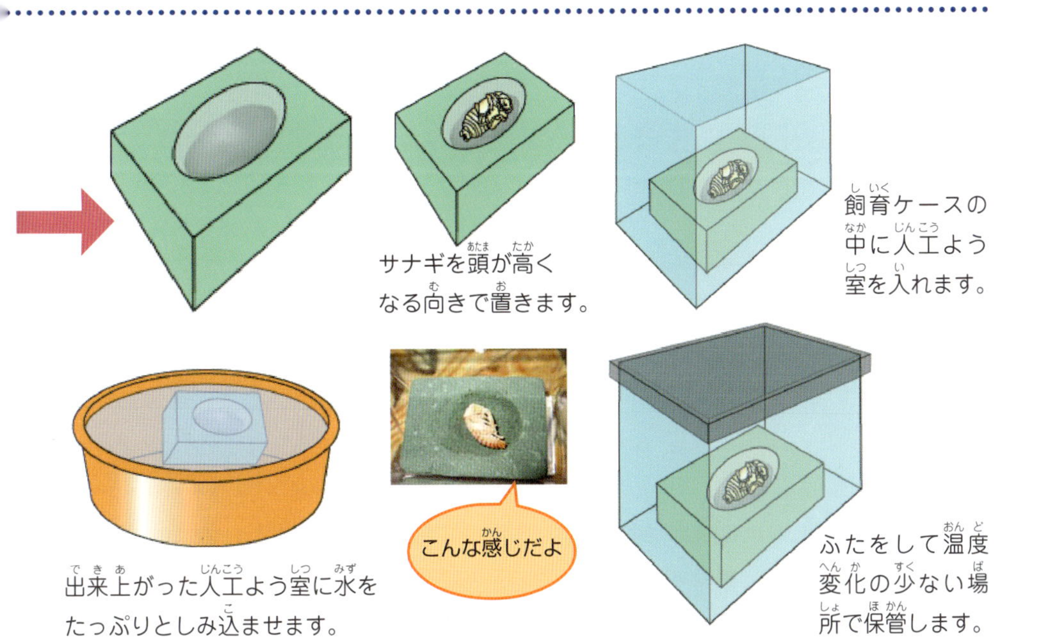

サナギを頭が高くなる向きで置きます。

飼育ケースの中に人工よう室を入れます。

出来上がった人工よう室に水をたっぷりとしみ込ませます。

ふたをして温度変化の少ない場所で保管します。

カブトムシの幼虫を育てよう！

カブトムシの幼虫を育てることは、それほどむずかしいものではありませんが、いくつか気をつけたいことがあります。育てる前に、どんなところを注意したらいいのかをおぼえておきましょう。

幼虫を育てるときのポイント＆注意点

1 同じ飼育ケースに幼虫をたくさん入れないこと！

幼虫を育てるときには、飼育ケースの大きさによってその数を考え、エサの量も調節することがたいせつです。基本的には、1つのケースにたくさんの幼虫を入れないこと。

たとえば、成虫を飼って、卵からかえった幼虫の数が多いとき、そのままケースに入れておくと、幼虫が死んでしまうこともあるので注意しましょう。幼虫にストレスをあたえたり、病気をふせぐためにも、数にあわせてケースを用意するか、大きなケースで飼うようにしてね。

2 きり吹きでエサに水分をあたえて！

幼虫のエサであり、ねむる場所でもある土（木をこまかくくだいて作った発酵マット）がかわくと幼虫の体がよわってくるので、土のようすを見て、かわいているようなら、きり吹きなどで少し水をかけましょう。

また、サナギになる前の「3れい幼虫」のときには、エサをいっぱい食べて大きくなっていくので、フンも多く出ます。土の上にフンがたくさん見えるようになったら、新しいマットにかえてあげましょう。

3 幼虫をあまりいじらないように！

幼虫がどんなふうに育っているか、つい、いじりたくなってしまうけれど、幼虫には手をふれないで、そっとしておいてあげましょう。幼虫はよわい生き物ですから、体に少しでもキズがつくと死んでしまいますよ。

また、直射日光があたると、暑くなりすぎて、幼虫が死んでしまうこともあるため、日かげですずしいところにケースをおきましょう。

4 「よう室」を作ったら、その後はじっと待って！

初夏のころになると、幼虫はサナギになるために「よう室」を作ります。幼虫は土を固めて、体よりも少し大きな部屋を作るのですが、この作業は幼虫にとって、なかなかたいへんなものです。

よう室が作られたあとは、飼育ケースをうごかしたり、土を掘ったりしないよう、気をつけましょう。じっとガマンして待っていると、20日くらいでサナギは羽化し、成虫になりますよ。

ペットボトルを使って育てる！

水そうや飼育ケースで育てることもできますが、大きな容器の場合、何匹かの幼虫を入れることになるため、1匹ずつのようすがわからないことも……。そこで、おすすめなのが、ペットボトルで1匹の幼虫を育てること。観察もしやすいから便利です。

ペットボトルで飼育ケースを作ろう！

ペットボトルを使って飼育ケースを作る方法として、2つの例を紹介します。1つ目は幼虫1匹についてペットボトルを2本用意し、1本は飼育ケース、もう1本はケースを立てるためのスタンドとして利用するものです。ケース用のボトルは、上下をさかさまにして使います。

2つ目は、ペットボトルを立てたまま飼育ケースとして利用し、一部を切り取って、それをフタとして使うものです。

どちらの例も、1.5リットル入りのペットボトルを用意してください。

■ペットボトルを用意してね

1つ目の作り方

1 ペットボトルの底を切り取り、飼育ケースを作る

ペットボトルは細菌などをふせぐためによく洗ったあと、キャップをしめてから使います。飼育ケースを作るには、まず全体の1／4くらいの底側の部分をカッターなどで切り取りましょう。

このとき、カッターはうごかさないで、ペットボトルを少しずつ回していくと、切りやすくなります。

ボトルの切り口がギザギザしていると、指や幼虫の体をキズつけることもあるので、ならめらかになるよう、ハサミなどできれいにととのえましょう。

切り取った底はフタとして使いますが、幼虫を育てているときには必要ありません。フタを利用するのは、サナギになったときで、底にしたフタ（切り口側が上になっている）をセロハンテープでしっかりとめましょう。

また、サナギから成虫になったときも、外に出ないようにフタを利用しますが、ペットボトルの底が平らなものよりも、デコボコしたもののほうがフタを作るときにやりやすいようです。

■飼育ケースを作ろう

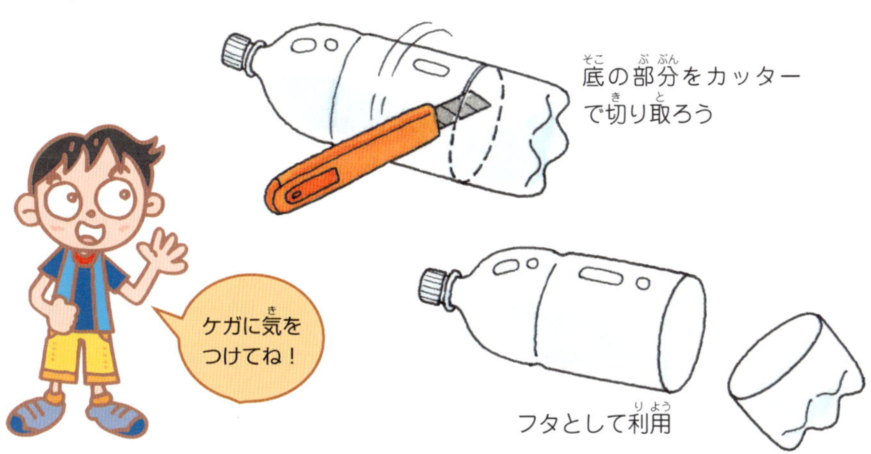

2 スタンドを作り、飼育ケースを立てる

こんどは、底が平たくて安定しているペットボトルを用意し、飼育ケース用のペットボトルを立てるためにスタンドを作ります。

このボトルは、底側から2／5ほどを切り取り、スタンドがグラグラしないように、5～6カ所に1cmくらいの切れ目を入れましょう。そして、切れ目の下側に、セロハンテープを輪にそってグルリと巻くと、ボトルがよりしっかりした状態になります。

このあと、スタンドに、キャップの口を下にしたペットボトルのケースを立てて、安定しているかどうか、たしかめてみましょう。スタンドの長さがたりないと、ケースがたおれやすくなるので、もう一度、スタンドを作り直すことになります。

スタンドを作るのがたいへんなようなら、飼育ケース用のペットボトルがちょうど入る大きさのマグカップなどを、スタンドとして利用するといいでしょう。

ケース用のペットボトルをスタンドに立てたら、キャップをしめた口の上に小さな石などを入れて、キャップとのすき間をうめましょう。

■飼育ケーススタンドを作ろう

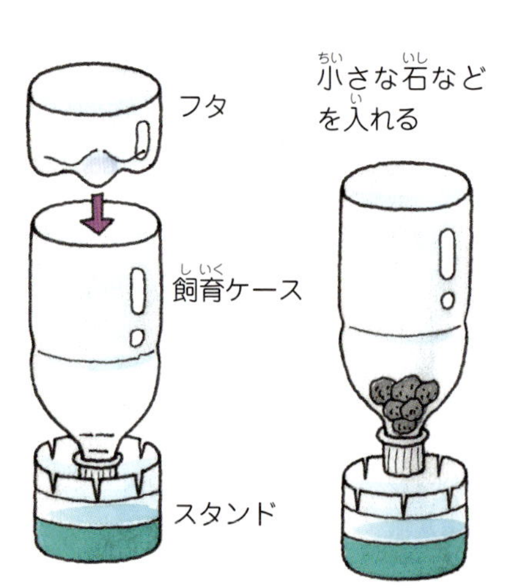

2つ目の作り方

飼育ケースの作り方としては、こちらのほうがカンタンにできるでしょう。1.5リットル用のペットボトルを用意しますが、炭酸の入っていたものは透明度が高く、形も作りやすいようです。

ペットボトルの上から1／3くらいのところに色のついたテープをはり、そのテープの下にそってカッターなどで輪切りにしましょう。そのあと、テープの部分をハサミなどできれいにすべて切り落とします。

テープを切った上側の部分はフタとして利用しますが、このフタが飼育ケース用のボトルにすっぽりかぶされば、できあがり。

フタを使うときには、空気穴になるようにキャップをはずしておきましょう。

■カンタンなケース

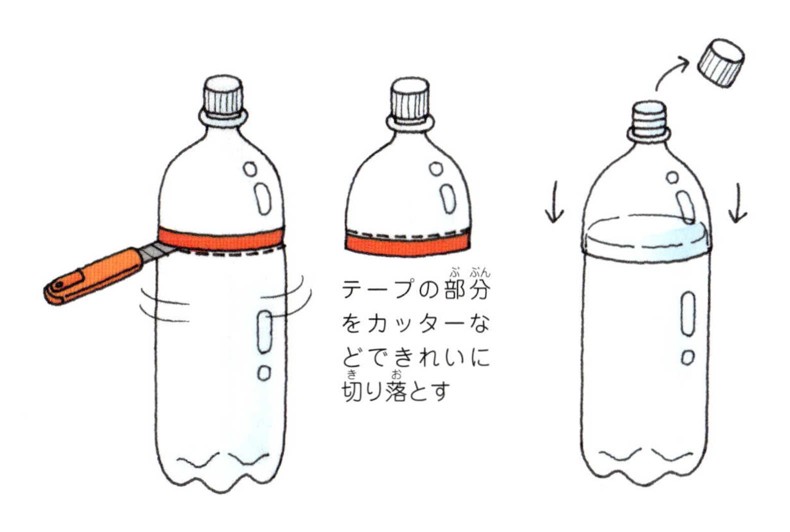

ペットボトルに発酵マットを入れる

幼虫を育てるときには、飼育ケースとともに発酵マットも必要ですが、市販のものなどを用意しましょう。

2つの方法のどちらかで作ったペットボトルのケースに、水で湿らせた発酵マットを8～9分目くらいまで入れます。幼虫が成長するときは、エサ（発酵マット）をたくさん食べるので、ようすを見ながら「少なくなったかな？」と思ったら、マットをくわえてあげましょう。

また、マットの表面にフンがたまったら、その部分を取りのぞき、新しいマットを入れましょう。

発酵マットの表面がかわいているかどうかをたしかめるには、指でマットを少しつまみ、軽く固まるようなら、だいじょうぶ。

そのとき、かわいていたら、きり吹きなどで湿らせてあげましょう。でも、あまり水分が多いと、カビがはえて幼虫が死んでしまうこともあるので、気をつけてね。

とくに、ペットボトルの上下を反対にしたケースの場合、キャップのところまで水が入っているようなら、水分のあたえすぎなので、かならずキャップをあけて水を流しましょう。

ペットボトルケースを黒い紙でかこむ！

飼育ケースは、直射日光があたる場所や雨にぬれやすい場所をさけ、風通しがよく、日かげですずしいところにおくことがたいせつです。また、ケースは黒い紙や段ボールなどでまわりをおおうと、幼虫も落ち着くようなので、こんな心づかいも忘れないでね。

そこで、黒い紙（画用紙など、少し厚めの紙がいい）を用意して、ペットボトルをすっぽり包むくらいの筒を作り、紙を重ねたところをセロハンテープでとめます。これで、ペットボトルをかこめば、できあがりです。

幼虫が育っていくようすを観察したいときには、黒い筒を上からそっと取りましょう。でも、それ以外は筒をはずさないように気をつけてね。

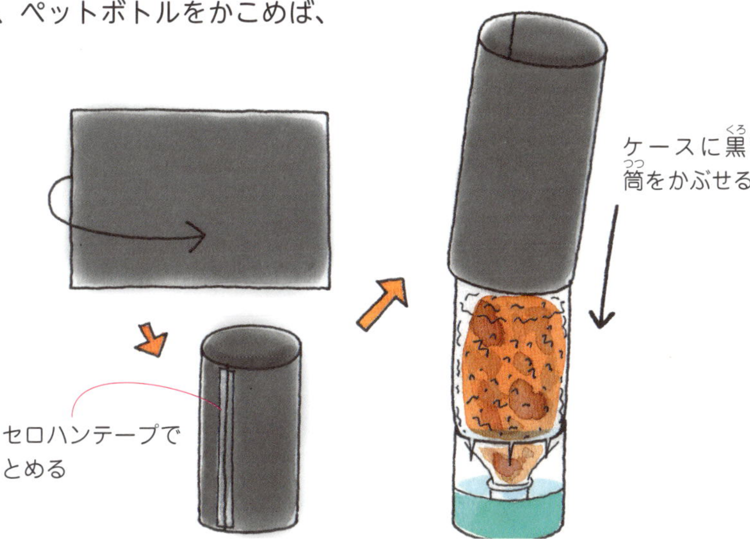

家で発酵マットを作る！

家庭で幼虫を育てるなら、発酵マットを手づくりするのも、おすすめ。マットを作って1か月くらいすると、使えるようになります。

マットを作るときには、部屋の温度が20度以上あったほうが発酵もしやすいといわれます。できれば、夏のうちに作っておくといいでしょう。この手づくりマットなら、幼虫もすくすく育っていきますよ。

まず、市販の昆虫マット（未発酵のもの）を用意します。そのほかに必要なものは、添加剤として使う小麦粉、水、容器です。

容器に昆虫マットを入れ、そのなかに、小麦粉を10％よりも少なめの割合でくわえて、まぜあわせます。さらに、水をくわえて全体をまぜあわせたら、両手でしぼって水けを取りましょう。

作ったマットを容器に入れ、おもしをして、虫が入らないようにアルミホイルなどでフタをしますが、フタには空気穴をいくつかあけてください。しばらくすると、マットに熱がこもり、発酵が始まります。

容器はあたたかい場所におき、最初のうちは毎日1回、マットを

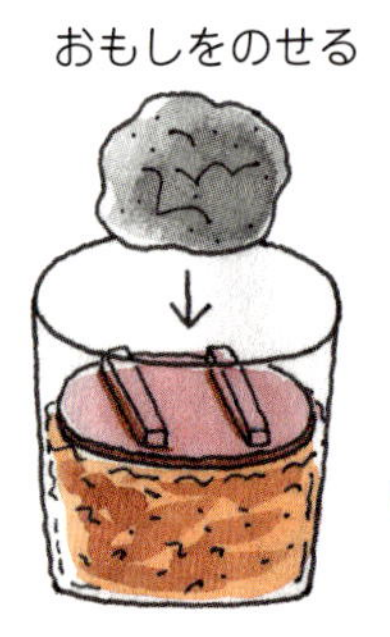

軽くかきまぜてください。そのままにしておくと、くさってしまうこともあるので気をつけましょう。甘ずっぱいニオイがしてきたら、そのあとは２～３日に１回くらい、かきまぜます。

ニオイが「くさい」と感じるうちは使えないので、１カ月くらい待ちましょう。

市販の菌糸びんで飼育

このほか、カブトムシを採集するために雑木林に出かけ、幼虫を持ち帰ったときには、同じ場所から取ってきた腐葉土や木クズなどをマットとして利用するのもいいでしょう。

失敗がないように市販のマットもあるよ

ペットボトルケースでの幼虫の飼い方

ペットボトルの飼育ケースに発酵マットを入れて準備ができたら、幼虫を手に入れ、ケースのなかでじょうずに飼って、りっぱなカブトムシの成虫に育てましょう。

手に入れた幼虫をペットボトルケースのなかへ

雑木林でカブトムシの幼虫を見つけることができるのは、夏の終わりごろから。林のなかのほかに、田畑に積んであるたい肥や、製材所のおがくずなどのなかにも幼虫がいることがあり、翌年の初夏ごろまで見つけることができます。

また、飼育ケースでカブトムシの成虫のオスとメスを飼うと産卵します。飼っていたメスが死んで2～3週間くらいしたら、ケースのなかで幼虫をさがしてみましょう。見つけたら、まわりの土といっしょにスプーンにそっとのせ、1匹ずつ手づくりしたペットボトルケースに入れ、発酵マットの上におきます。

この作業をするときは、幼虫の体をキズつけないように気をつけてやってね。マットの上におくと、幼虫はしぜんにうごいて、マットのなかへもぐりこんでいきます。

幼虫は脱皮しながら育っていく

ペットボトルの飼育ケースを家のなかにおく場合は、玄関やキッチンの流し台の下などが温度の変

化も少なくて、ちょうどいいようです。

幼虫はエサの発酵マットをたくさん食べて、大きくなっていきます。卵からかえったときの幼虫は「1れい幼虫」と呼ばれますが、2～3週間くらいすると脱皮して「2れい幼虫」になります。

2れい幼虫になると、1れい幼虫にくらべて、頭の幅が少し広くなっているようです。はじめは頭でっかちに見えるけれど、成長するにつれ、体のほうも大きくなってきます。

幼虫がエサを食べたあと、発酵マットの表面に黒くて小さい粒のようなものが見えたら、それは幼虫のフン。スプーンなどを使ってきれいに取りのぞいてから、水で湿らせたマットを少し追加しましょう。

幼虫をじょうずに冬越しさせる

卵が「ふ化」した時期によって少しちがいはありますが、冬になるまでに2回目の脱皮をして「3れい幼虫」になります。2れいから3れいになるころの幼虫は、しっかり成長するためにエサもたっぷり食べるので、1カ月もするとケースがフンでいっぱいに。マットの表面にフンが目立ってきたら、マットを取りかえましょう。

幼虫は見た目にも大きくなっていることがわかりますが、寒い冬の間はほとんどエサを食べないで、じっとしています。ただ、寒いからといって、エアコンの暖房やストーブなどをつけたあたたかい部屋におくと、じょうずに冬越しできないので気をつけてね。

春になって気温が上がるまでは、幼虫をそっとしておきます。

冬の間は、マットに水分をくわえるのも少なめにしたいのですが、ときどきケースのなかをのぞいて、もしマットがかわいていたら、きり吹きなどで軽く湿らせてあげましょう。

春になると、幼虫がうごき始める

翌年の春ごろになると、野生動物が冬眠から目をさましたように、幼虫がモソモソとうごき始めます。この時期からサナギになる準備をするころまでは、エサもいっぱい食べるようになります。

フンがたまったマットを取りかえますが、全部を新しくすると、環境がいきなり変わってしまうので、マットを入れかえるのは半分くらいにしましょう。

夏が近づくと、サナギになる準備をする

夏を迎える前に、幼虫はサナギになるための「よう室」を作り始めます。タテ長のだ円形の部屋を作るために、幼虫は体をくねらせながら、壁をぬり固めるようにして空間を作っていきます。

幼虫は、サナギになる前には体の色が濃くなり、まるで死んだように、何日間かは頭を上にしてうごかなくなるけれど、死んではいないので安心してね。

また、この時期はペットボトルをうごかしたりしないよう、気をつけましょう。

脱皮して、サナギになる

サナギになるには3回目の脱皮をしますが、このとき、脱いだ皮は「よう室」のすみでクシャクシャの状態になっているでしょう。サナギがオスのときには、角があるようすもわかり、角は10日くらいかけて伸びていきます。

サナギは3週間くらいすると、体がだんだん茶色から黒っぽい色になり、足がうごき始めます。また、皮のなかにうっすらと成虫のすがたも見えてくるでしょう。このようすがわかると、羽化まであと1日から2日くらいです。

いよいよ、成虫がマットの上に出てくる！

羽化したカブトムシの成虫は、まだ前羽が白く、体も完全に固まっていないため、しばらくはマットのなかでじっとしています。

１週間くらいして、体が固まり成熟してくると、マットの上にすがたをあらわします。土のなかから出てきたら、成虫はエサを食べ始めるので、エサを用意してあげましょう。

カブトムシの新成虫（オス）

市販の飼育ケースや、家にあるビンを利用！

ペットボトルで飼育ケースを作るのは、少し手間がかかるので、

もっとカンタンな方法で「幼虫を育てたい！」というときには、つぎのようなものを利用するといいでしょう。

ショップなどで売っている飼育ケースで幼虫を育てるときは、幅15cmサイズのケースなら幼虫1匹、幅30cmのものなら2～3匹が飼えます。

また、1カ所でもう少し多くの幼虫を飼育したいときには、家庭用の衣しょうケースや、大型の水そうなどを利用するという方法もあります。たとえば、長さ45cm、幅36cmサイズのケースなら5～6匹くらい飼えますが、一度に観察するのもむずかしいし、羽化がうまくいかないこともあるので、初心者には向いていないようです。

家にジャム類やハチミツなどのビンがあったら、これを飼育容器として使います。ビンは市販のものでもいいですよ。幼虫を1匹入れるなら、高さが20cmくらいあるビンを選びましょう。フタには空気穴をあけておいてね。

発酵マットは、ケースやビンの高さの半分以上は入れましょう。

市販の菌糸ビン

カブトムシの成虫を育てよう！

初めて、カブトムシの飼育をするときには、どうしたらいいのかわからなくて、チョット心配です。でも、成虫を育てるときのポイントや注意することを知っていれば、安心して育てられます。

飼育ケースは日かげのすずしい場所におくこと

カブトムシの成虫は、むしむしして暑いところがにがてです。

飼育ケースは一日中、直射日光があたらない日かげで、風通しのいい、すずしい場所におくようにします。部屋の温度は20度くらいから24度くらいがいいでしょう。飼育ケースのなかを、むし暑くすると、成虫の体がよわってしまうので、気をつけてください。

毎日の世話で気をつけること

くだものをエサにするときは、飼育ケースのなかにそのまま入れておくと、すぐにくさってしまいます。1日ごとにエサを取りかえ、ケースのなかをよごさないように気をつけましょう。

また、成虫はオシッコを飛ばすので、透明のケースのよごれが目立つようになったら、ティッシュペーパーなどできれいにしてください。

ケースのまわりは、夜は暗く、昼間は明るくして、成虫の生活にリズムをあたえることもたいせつです。また、成虫が逃げださないように、ケースのフタをしっかりしめておくことも忘れないでね。

きり吹きなどで少し湿らせる

飼育ケースのなかに入れておく昆虫マットや腐葉土などは、ほどよい水分が必要です。ときどきチェックをして、マットや土の表面がかわいていたら、きり吹きなどで少し湿らせてあげます。

りっぱに育ったカブトムシの成虫（オス）

オスとメスを育てれば、産卵する

基本として、1つのケースで飼育するのは成虫のオスとメス1匹ずつです。同じケースのなかにオスを2匹以上入れると、ケンカを始めて、よわってしまうので注意しましょう。

オスとメスをいっしょに飼うと、産卵させることができます。でも、腐葉土などが湿っていないときには、メスは卵を産みませんから、ほどよい水分を保つようにしましょう。

カブトムシの飼育(しいく) 卵(たまご)を産(う)ませてみよう！

オスとメスの成虫を育てているなら、産卵をさせてみましょう。環境さえしっかりと整えれば、比較的簡単に卵を産んでくれます。産卵時期はだいたい８月～９月の夏の間。夏休みにカブトムシを増やしてみましょう。

産卵させるには

別々の飼育ケースで飼っている成虫のオスとメスをいっしょにすると、産卵させることができます。自然の中ではクヌギやコナラなどの木の樹液のそばで交尾しますが、メスのいる飼育ケースにオスを入れて交尾させ、数日たったらオスは別のケースに移しておきましょう。

飼育ケース

交尾

飼育ケースと土を準備する

カブトムシに卵を産ませるには、縦・横・高さが 20X30X20cm くらいの大型の飼育ケースを用意します。透明なプラスチック製のケースを使うといいでしょう。容器の半分くらいまで黒土を入れますが、市販の「産卵用マット」などを使うと便利です。

ここに交尾を終えたメスを入れます。土やマットがほどよい水分を保つようにして、飼育ケースは直射日光をさけて、風通しのよい場所に置きましょう。

カブトムシの卵

卵は数日で産まれる

卵は何日かかけて、土の中にばらばらに産みつけられます。

4～5日くらいたったら土を掘り起こして様子を見てみましょう。もし、土の中に丸くて白い粒が見えたら、それが卵です。卵は短径が 2mm、長径が 3mm くらいのニワトリの卵のようなだ円形をしています。

卵がなかなか見つからないときには、平らなところに新聞紙をしいて土を広げてみます。このとき直径 2cm くらいの土の塊が見つかるかも知れません。これをそっと割ってみると、中に卵が 1 つ

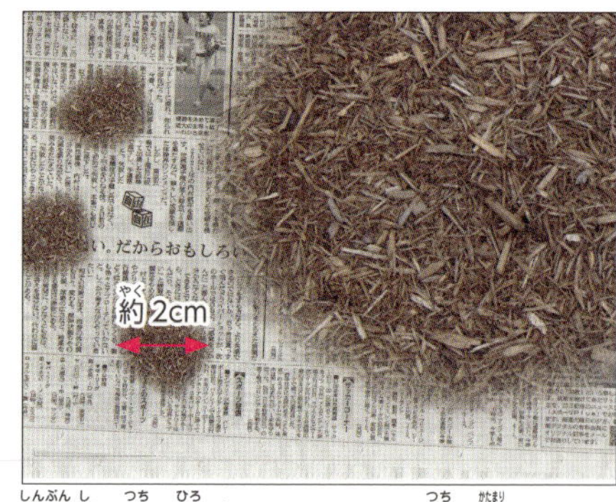

新聞紙に土を広げて 2cm くらいの土の塊をとりだす

入っています。メスは産卵のとき土を固めて卵室を作って、この中に1卵ずつ産んでいるようです。

卵を見つけたら別の容器に入れる

卵を見つけたら腐葉土を入れた別の容器に移します。成虫と一緒にしておくと、歩きまわる成虫によって卵が割られてしまうおそれがあるからです。

1匹のメスが産む卵の数は、およそ30コくらいです。卵を傷つけないよう、スプーンなどを使ってつぶさないように気をつけて移しましょう。

スプーンなどを使ってつぶさないように移しましょう

※ 卵は落としてもピンポン球のようによくはずみます。

卵ですごす期間は15日～20日くらい

卵の期間は飼育場所の温度でもかなり違ってきますが、20～25℃の室温では15～20日くらいです。

卵は日がたつにつれてうすい茶色になり、徐々に大きく丸くなっていきます。「ふ化」する前には4～5mmくらいになりますが、このころになると卵の中に黒いもようが見えてきます。中の幼虫の頭部が透けて見えるのでしょう。やがて幼虫が体を伸び縮みさせて殻を破り、「ふ化」してきます。

幼虫の期間は3段階

卵から「ふ化」したばかりの幼虫は「1れい幼虫」と言い、とても小さく8～9mmしかありません。8～9日ほどたつと20mmくらいまで大きくなり、脱皮をして「2れい幼虫」になります。

「2れい幼虫」になってからは、およそ20日間で45mmくらいになり、さらに脱皮をして「3れい幼虫」となります。さらに3回目の脱皮をして、サナギになっていくのです。

カブトムシの幼虫

幼虫の飼育については「カブトムシの幼虫を育てよう」(p.60)を参考にしてください。

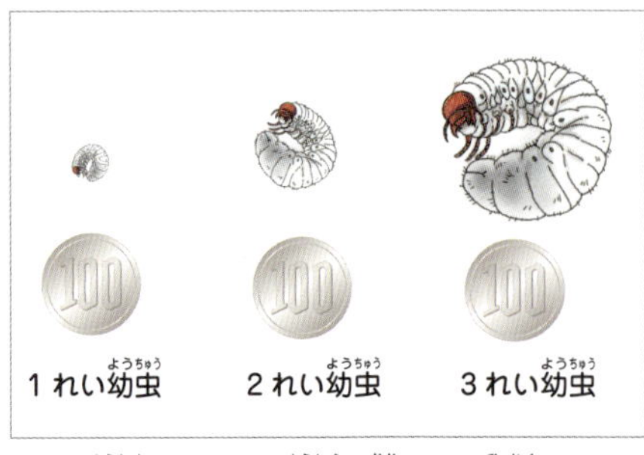

1れい幼虫から3れい幼虫の大きさの比較

羽化したカブトムシ

市販の飼育ケースを使って育てる！

雑木林でカブトムシをつかまえることができたり、デパートやショップなどで買うことができたら、飼育ケースのなかで成虫を育てましょう。オスとメスがいるなら、メスに卵を産ませて、カブトムシをふやしてみませんか。

成虫を育てられるように準備する

成虫を飼うのに必要な用具類は、専門のショップなどで手に入れられるので、用具類をそろえることから始めましょう。

飼育ケース

市販の飼育ケースは、透明のプラスチック製で、ケースの幅が30cm～40cmくらいのものがおすすめ。成虫は、夜には活発にうごき回り、軽いフタならあけて

飼育ケースがいるよ！

しまうので、逃げださないように、しっかりとフタがしまるものを選びましょう。

昆虫マット

飼育ケースの底に床を作るために、昆虫マットのほか、腐葉土などを用意します。市販の昆虫マットはカブトムシの成虫用のものを選ぶようにしましょう。

朽ち木・木の枝

床の上におくために、朽ち木や木の枝などを１本～２本用意します。成虫がとまりやすいものを選ぶと、ひっくりかえったときの足がかりになります。

エサ

エサ用のゼリー（昆虫ゼリー）はデパートやショップなどで売っているので、それを利用します。このとき、いっしょにゼリーをおくためのエサ台も手に入れると、成虫がエサを食べるときに便利です。

くだものはリンゴ、バナナ、パイナップルなどがおすすめ。

よく熟したものを入れましょう。スイカは水分が多く、栄養バランスもわるいので、エサには向きません。くだものは小さい皿にのせると、エサや土がよごれにくくなって安心。

このほか、乳酸飲料やさとう水をワタなどにしみこませ、エサとしてあげるのもいいでしょう。

昆虫ゼリーを食べるヒルスシロカブトの成虫（オス）

準備が終わったら、飼育ケースを作る

最初に、ケースの底に昆虫マットや腐葉土などを入れますが、きり吹きなどで水けを湿らせてから敷きつめます。

つぎに、コップの底でマットなどの表面を固めますが、その分量はケースの底から高さの１／５くらいです。

固めたものの上に、ケースの高さの半分くらいまでマットなどを入れます。このときは、マットや土を固める必要はありません。成虫が休みたいときに、もぐりこむことができるからです。

床の部分を作り終えたら、朽ち木や木の枝とエサを入れます。

そのあと、ケースに成虫を入れ、しっかりフタをしましょう。

飼育ケースのようすを見ることもたいせつ

ケースの底に腐葉土を入れる場合、雑木林で手に入れた腐葉土なら、ある程度は湿っているため、あまり水分をあたえなくてもいいのですが、土がかわかないように気をつけてくださいね。

ケースのなかでオスとメスを飼育するときには、エサの取り合いをしないように、くだものは食べやすい大きさに切ったあと、1匹にひと切れずつあげるようにするといいでしょう。

カブトムシが成虫である期間は2カ月くらいです。成虫が死んでしまっても、ケースのなかの昆虫マットなどはそのまま湿りけが保たれるように、ビニールなどに小さい穴を数カ所あけてから、ケースにかぶせ、暗い場所にそっとおきます。メスが卵を産んでいるときには、そのなかに入っている可能性があります。

エレファスゾウカブト

ヘラクレスレイディ

カブトムシの成虫の飼い方

カブトムシの成虫の時期は、9月から10月ごろまでといわれています。たいせつに育てるために、成虫の飼い方のコツをおぼえておきましょう。

夏の時期

暑さがきびしい夏のころは、日かげのすずしい場所をできるだけ選んで、成虫を育てます。直射日光はカブトムシをよわらせてしまうのでよく注意し、手でさわることもなるべくしないように気をつけましょう。

エサを入れておくことも忘れないでください。飼育ケースの外から見て、昆虫マットなどがかわいているようなら、こまめに水分をあたえてあげましょう。でも、水分が多すぎても、カビがはえたりする原因になるので、注意が必要です。

オスとメスを飼っている場合、交尾をしたあと、メスがマットなどのなかに卵を産みます。成虫が死んで1～2カ月くらいすると、卵からかえった幼虫が見つかるかもしれません。

秋の時期

この時期、成虫が死んでいることが多いのですが、メスが卵を産んでいる可能性があるため、飼育ケースをゆすったり、移動させたりしないで、日かげのすずしい場所においたまま、そっとしておきましょう。

卵のなかから幼虫が出てくるまでは、2～3週間かかります。

カブトムシの成虫（オス）

テルシテスヒメゾウカブトの成虫（オス）

ヘラクレスオオカブトの成虫（オス）

幼虫が見つかったら、ペットボトルの飼育ケースにうつしかえてあげましょう。

その後、秋から冬、翌年の春から夏にかけて、幼虫が大きくなり、サナギ、成虫へと成長していくようすは「ペットボトルケースでの幼虫の飼い方」のページを見てくださいね。(p.70)

5章 クワガタムシ

クワガタムシはどこにいる？

クワガタムシもカブトムシと同じく樹木の多いところにいます。普段から樹木の多いところを探しておくといいでしょう。

成虫のいる場所

クワガタムシもカブトムシと同じように、雑木林のなかで生活していて、ほとんどの種類が、夜の間に樹液の出る木の甘いしるを吸うために集まってきます。ただ、クワガタムシの場合は種類によって好きな木がちがいます。

クヌギやコナラの木に集まるのはオオクワガタ、コクワガタ、スジクワガタ、ノコギリクワガタ、ヒラタクワガタなど。ブナやミズナラ、ヤナギの林にすんでいるのはアカアシクワガタ、ノコギリクワガタ、ヒメオオクワガタ、ミヤマクワガタなど。

また、沖縄方面のシイやカシが多い林では、アマミシカクワガタ、アマミミヤマクワガタ、ヒラタクワガタ、マルバネクワガタなどが見られます。

クワガタムシも夜に活動する？

クワガタムシの成虫がお気に入りの樹液を吸いにやってくるのは、カブトムシといっしょで夜の間です。明るいうちに、種類ごとに集まってくる好きな木を見つけておいて、夜になってから、その場所へ出かけていきましょう。クヌギやコナラの木のまわりには、カブトムシもいるかもしれないよ！

昼の間はどうしている？

クワガタムシは昼の間、朽ち木のなかや根元の土のなか、落ち葉の下などで眠っていて、夜になると、その場所から出てくるのです。

クヌギやコナラなどの木を見つけたら、その枝の先をよく見てみましょう。木をゆすると、クワガタムシの成虫が落ちてくることもあるそうだよ。また、朽ち木の皮の間などをのぞいてみると、見つけることができるかもしれません。

コクワガタのサナギ

ノコギリクワガタのサナギ

クワガタムシの幼虫がいる場所

クワガタムシの幼虫は木のなかで長い期間（1～2年）を過ごします。幼虫が暮らしている朽ち木はクヌギやコナラ、ブナ、ミズナラなど、種類はいろいろあります。

その木の種類によって、すんでいる幼虫もちがいます。また、倒れた木のなか、朽ちた切り株のなか、立ったまま枯れてしまった朽ち木のなかなど、木の枯れ方によっても、幼虫の種類は変わってくるのです。

コクワガタの成虫（オス）

ノコギリクワガタの成虫（オス）

クワガタムシの体はどうなっているのだろう？

クワガタムシは、朽ち木のすき間などで暮らしているため、体は平たく、せまいところにも入りやすい形をしています。体のなかの構造はカブトムシに似ていますが、いちばんの特徴はオスの頭に大きなアゴがあることです。

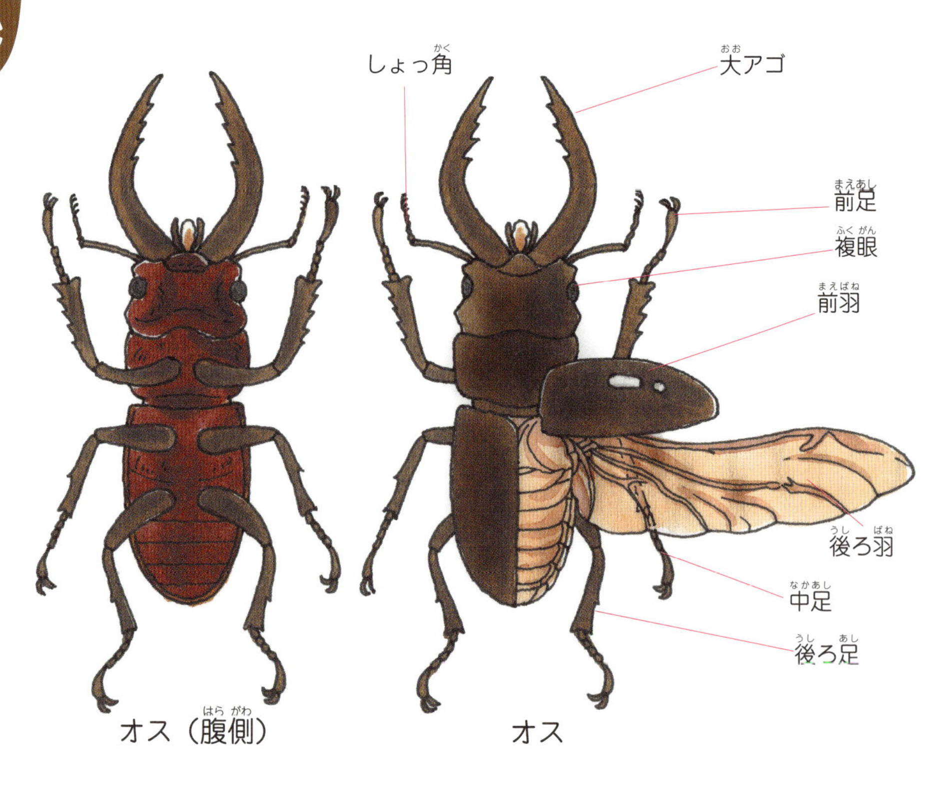

オス（腹側）　　オス

成虫の体の各所の特徴や役わり

クワガタムシの体は大きく分けると、頭部、胸部、腹部の3つです。オスの頭には、カブトムシのところで説明したように「複眼」と呼ばれる目、しょっ角、大アゴ、小アゴひげがあり、小アゴひげの間に口があります。

頭のあたりをよく見てみると、クワガタムシの頭はカブトムシよりも大きく、大アゴをのぞいた頭は平たくて、ヨコの幅も広いのです。また、カブトムシは左右の目が近くにあるけれど、クワガタムシの目は両側にはなれています。

オスのアゴは、大きく長く太さもあるので、カブトムシにある角のように見えるけれど、これは大アゴが発達してできたものです。この大アゴは、食べ物などをかむためではなく、アゴを開いたり、とじたりしてモノをはさむときに使われます。

このほか、背中にはえている前羽と後ろ羽や、体の両側に1本ずつある前足・中足・後ろ足など、体の各所にあるものは、カブトムシと同じような役わりをしています。

オオクワガタ成虫（オス）の腹側

オオクワガタ成虫（メス）の腹側

成虫のオスとメスのちがいはどこ？

1 大アゴは戦いの武器として使われる

オスとメスの体をくらべたとき、ほとんどの種類でオスのほうがひとまわり大きいといわれています。大アゴは、エサを食べる場所でほかの虫を近づけないようにしたり、気に入ったメスを見つけたときに、そのメスをねらう相手と戦うために武器として使われます。

この大アゴをハサミのように使って、オスはケンカ相手の体をはさみ、投げとばそうとするけれど、大アゴにはさまれると、体に穴があいてしまうこともあるほど、かなりの力があります。

2 メスの小さいアゴは産卵のときに使われる

メスの大アゴは小さいのですが、じょうぶで、朽ち木に穴を掘るときに使われ、そのなかに卵を産むのです。

頭はオスよりも小さく、胸のあたりは少し丸くなっています。

オオクワガタの成虫（オス）

オオクワガタの成虫（メス）

体の大きさは種類によってちがう？

日本にすんでいるクワガタムシの種類は、36種類くらいといわれますが、その種類によって大きさもちがうのです。

クワガタムシのオスの場合、体の大きさは、おしりの先から大アゴの先までの長さをはかるのが一般的で、これを「体長」といいます。とくに、大きな種類として知られているのが、オオクワガタとヒラタクワガタ。これらのなかには、体長が80mm近くあるものもいます。

また、ミヤマクワガタ、ノコギリクワガタも、体長で見た場合には大きな種類の仲間に入ります。

もう1種類、南の地域にすんでいるマルバネクワガタも、体長は70mmはないけれど、オオクワガタにくらべると丸くて太っているため、体全体で見ると、その大きさは負けていないのです。

反対に、小さい種類の代表といわれるのが、マダラクワガタ。オスでも体長は5～6mmくらいしかなく、見つけるのがたいへんそうだけれど、これは、世界でもいちばん小さい種類として知られています。

小さい種類の仲間では、ほかにマメクワガタ、チビクワガタ、ルリクワガタなどがいます。

ミヤマクワガタの成虫（オス）

アカアシクワガタの成虫（オス）

大アゴの形で種類を見分けよう！

オスの大アゴの形は、種類によっていろいろありますが、内側にはギザギザにとがった歯が見られます。この歯の大きさや数、ならんでいるようすによって、種類を見分けることができます。

見分けるときには、大きな歯の数と、その歯がどのあたりにあるかをよく見てみましょう。おもな種類の大アゴの形は、次のようになっています。ただ、体の大きさや、すんでいる場所、幼虫のときの環境などによって、同じ種類でもちがう形に見えることもあるのです。

1 オオクワガタ

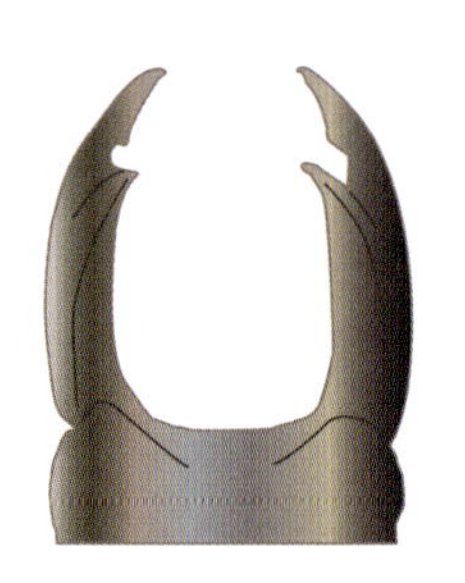

大アゴが太く、大きな歯が１本あり、体が大きいものは大アゴの中心よりも歯が上のほうにある。

2 ノコギリクワガタ

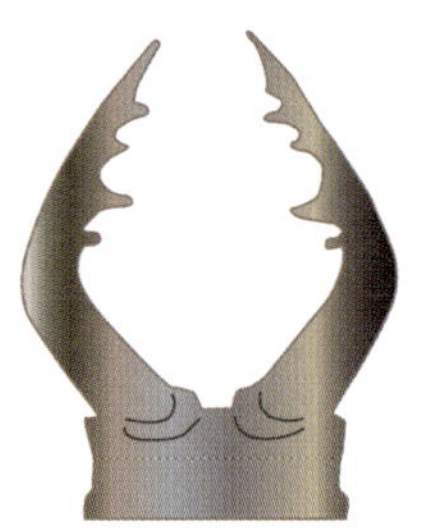

体が大きいものは歯の数が５～６本。ノコギリのようにタテにならんでいて、下から２番目の歯が大きい。大アゴが小さいものもある。

3 ミヤマクワガタ

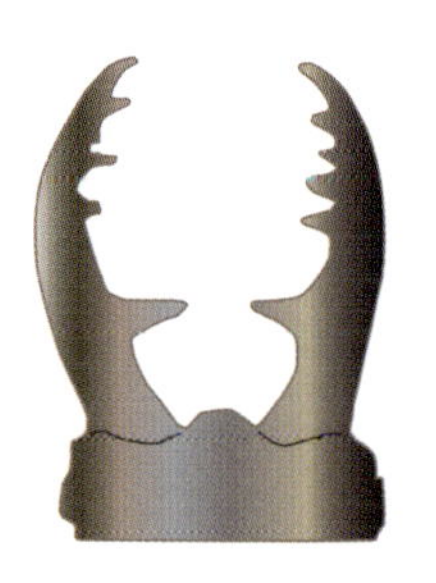

大アゴの先が２つに分かれていて、歯の数は４～５本。大アゴのいちばん下にある歯が大きい。

4 コクワガタ

大アゴは細長く、なかほどに歯が１本ある。体の小さいものはその歯が見られない。

5 ヒラタクワガタ

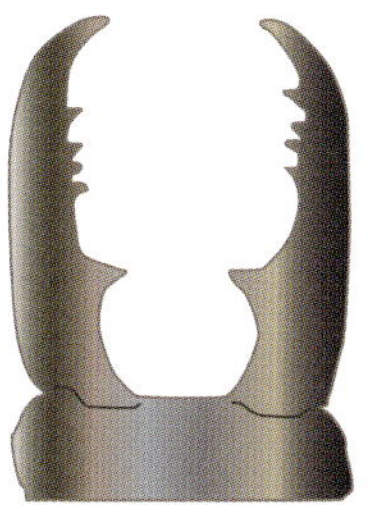

大アゴはほとんどまっすぐで、下側に大きな歯が１本あり、上のほうに向かって小さな歯がならんでいる。

6 ネブトクワガタ

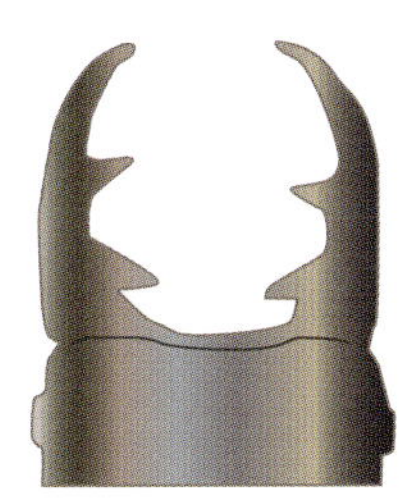

大アゴの下側と中央あたりに大きな歯が１本ずつある。大アゴは内側にカーブしている。

7 アカアシクワガタ

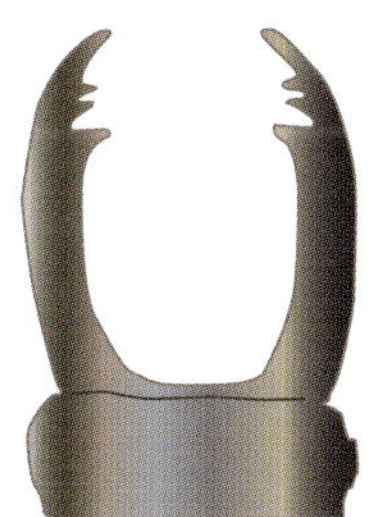

大アゴの上のほう（先の部分）に歯が３本あり、３本目が大きい。

8 スジクワガタ

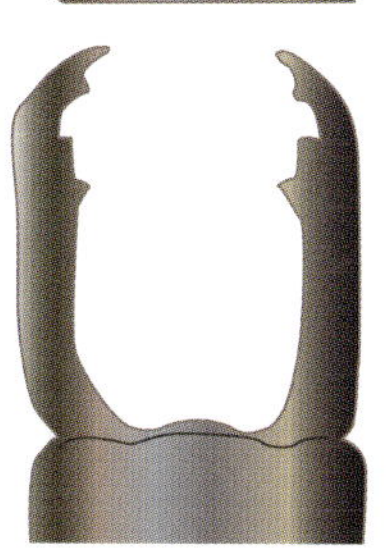

大アゴの中央あたりに２本の歯がある。体の小さいタイプは歯が１本のように見えるが、これは２本の歯がつながっているからだ。

クワガタムシの一生と成長のしかた

カブトムシと同じように、クワガタムシも夏に産卵されてから、卵、幼虫、サナギ、成虫へと成長していきますが、幼虫の期間や成虫の期間が短いもの、長いものなど、種類によって、その一生は変わってきます。

幼虫の期間によって「1年型」と「2年型」に

クワガタムシのおもなものは、卵が「ふ化」して幼虫になると、1～2年間を幼虫のままで過ごし、夏の終わりに成虫となります。

そして、成虫になっても、すぐに野外には出ないで、サナギになるための「よう室」のなかで冬場を過ごし、次の年の夏の初めに外へ出て活動し、夏の終わりに死んでしまうというのが、クワガタムシの一生の基本的なものといわれています。

ただ、その種類や、幼虫が育つ場所の温度や気象、食べ物などのちがいによっては、幼虫が1年で成虫になったり、成虫になった年に野外活動を始めるもの、初夏に外での生活が見られるものなどもいます。

幼虫で1年過ごすものを「1年型」といい、2年過ごすものを「2年型」といいます。幼虫の期間がちがうのは、産卵された時期や、ふ化した幼虫が育つ環境などによるものといわれています。

一般的に、産卵が早い時期におこなわれたときには、幼虫の2回の脱皮も早くなり、多くの場合は1年型になります。

反対に、おそい時期に産卵されたものは、冬が近いために幼虫があまり育たず、大きく育つのは翌年となりますから、2年型になることが多いのです。

もうひとつ、産卵される場所が幼虫の成長にとって、よい環境か、わるい環境かによっても、ちがいが出てきます。よい環境のところでは、幼虫がじっくり育ってから脱皮をくりかえすので2年型になりやすく、わるい環境の場合は、あまり育たないうちに脱皮を2回おこなってしまうため、1年型になりやすいのです。

1年型のものは、幼虫の成長期間が短いことから成虫も小型となり、2年型は大型の成虫になるものが多いのです。また、オスにくらべて、メスは幼虫の期間が短いことから、多くのものが1年型といわれます。

種類によって「1越型」と「1化型」がある

クワガタムシの基本的な一生は、成虫になっても「よう室」で冬を越してから、つぎの年に外での活動を始めるもので、これを「1越型」とよびます。でも、なかには、初夏に幼虫からサナギ、成虫となり、夏の終わりに野外生活をおこなう「1化型」とよばれるものもいます。

「1化型」というのは、幼虫が初夏にじゅうぶん育ったときと同じころに、気温が上がることによって起こるものといわれています。オオクワガタ、マルバネクワガタ、オニクワガタなどが、この1化型に入ります。

■卵をみつけたらじぶんで「ふ化」させてみよう

❶

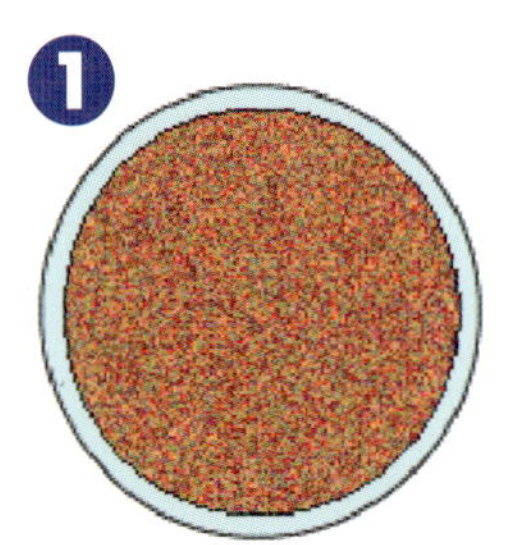

プリンカップに産卵セットでつかったマットをふたをしたときにすきまができるくらいのたかさまでいれます。

❷

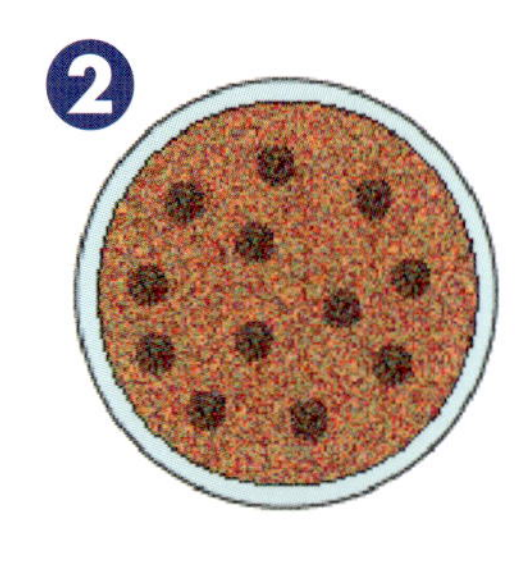

マットのうえにめんぼうや細いぼうをつかって、卵がはいるくらいのあなを10コくらいほります。

❸

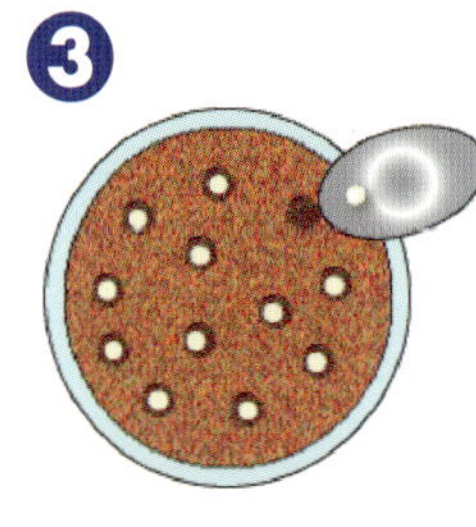

スプーンをつかって卵をあなのなかにひとつずついれます。
たまごはぜったいにてでさわってはいけません。

❹

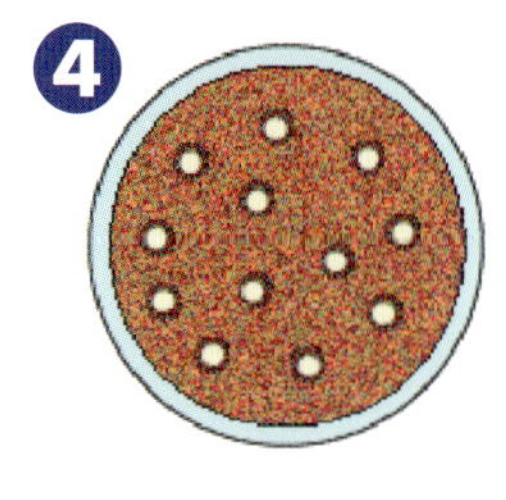

ぜんぶいれるとこのようのようになります。

❺

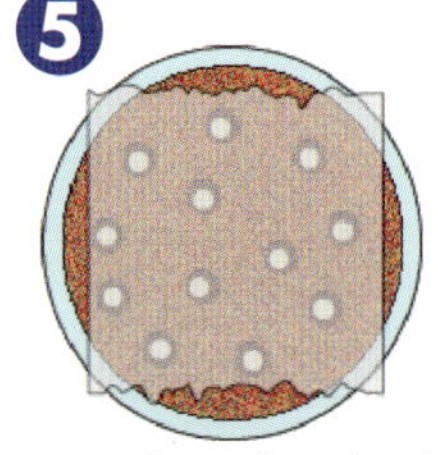

ティッシュペーパーをプリンカップのおおきさにおりたたみます。
ティッシュペーパーをプリンカップにかぶせます。

❻

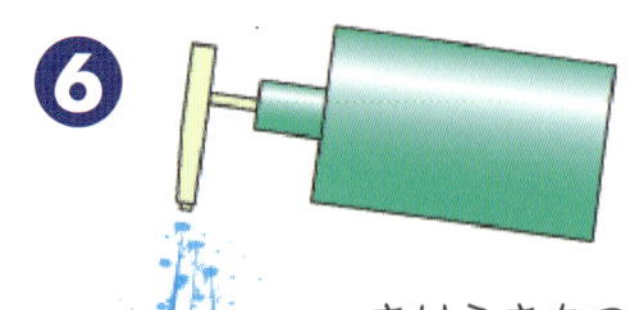

きりふきをつかってティッシュペーパーに水をふきつけます。
ティッシュペーパーのいろがかわるくらいで水がおおすぎてはだめです。

交尾を終えて、産卵する

1 エサのある場所で出会い、交尾する？

夏の間に交尾がおこなわれますが、クワガタムシのオスとメスが出会うのは、それぞれの種類が好む樹液がしみでる木など、エサのある場所が中心です。

そのエサ場には、別の種類のクワガタムシも集まってきますが、オスはメスのニオイにさそわれて近づいたあと、しょっ角などでメスの体にさわり、自分と同じ種類であることを知ってから、交尾をするといわれています。

交尾を終えたあと、メスは卵を産む場所を見つけるために出かけていくのです。

2 種類によって、産卵する朽ち木の選び方がちがう？

雑木林のなかでは、夏の終わりごろになると、メスの産卵が始まります。卵を産む場所は、一般的にはキノコの菌によってくさった朽ち木です。なかでも、広葉樹の肌色に朽ちた木が好きなメスが多いようで、その木を産卵場所として選びます。

また、針葉樹の朽ち木を選んで産卵する種類や、シイやマツなどの赤茶色に朽ちた木の根元のフレーク（土になった状態）に産卵する種類もあります。このほか、水分の少ないかわいた朽ち木や、湿った朽ち木を選んだり、土の上や土のなかに卵を産むものなど、種類によっていろいろな方法を取っているようです。

3 エサのある場所で出会い、交尾する？

クワガタムシのメスはアゴを使って、朽ち木にいくつかの穴をあけ、そのなかにおしりをさしこみ、1つの穴に1つずつ卵を産んでいきます。朽ち木がやわらかいときには、トンネルを掘って木のなかに産卵することもあります。

メスのアゴはオスにくらべると小さいけれど、アゴがじょうぶで、するどいのも、木に穴をあけるという役わりがあるからです。

1匹のメスから産まれる卵の数は10コ～20コといわれています。卵の色は白っぽく、カブトムシの卵と同じように最初はだ円形ですが、そのあと木の水分をすってふくらみ、球形になります。

ヒラタクワガタの成虫（メス）

卵から幼虫が出てくる

1 産卵から2〜3週間後、幼虫になる？

卵が「ふ化」して、なかから幼虫が出てくるのは、卵が産まれてから2〜3週間くらい過ぎたころです。その時期の気温が高いと、「ふ化」は早くなり、気温がひくいときには、少しおくれるといわれます。

ふ化した幼虫は体長5mmくらい。産まれたばかりの幼虫は白っぽい色をしていますが、大アゴのあたりは少し色がついているようです。

2 朽ち木を食べて大きくなる？

幼虫は大アゴを使って、朽ち木の柔らかい部分から食べ始め、さらに、朽ち木をトンネルのように食べ進みながら、大きくなっていくのです。

カブトムシの幼虫の期間は10カ月くらいですが、クワガタムシの幼虫は朽ち木のなかで1〜2年、長いものは3年くらい（種類によってことなる）を過ごしています。

同じ種類の場合でも、成虫になったときの大きさがちがうのは、幼虫のときに食べるエサの量によって変わってくるのだといわれます。たとえば、多くのエサを食べることができた幼虫は、体も大きく、りっぱな大アゴがある成虫になりますが、エサがたりない幼虫は体も大アゴも小さい成虫になってしまうというものです。

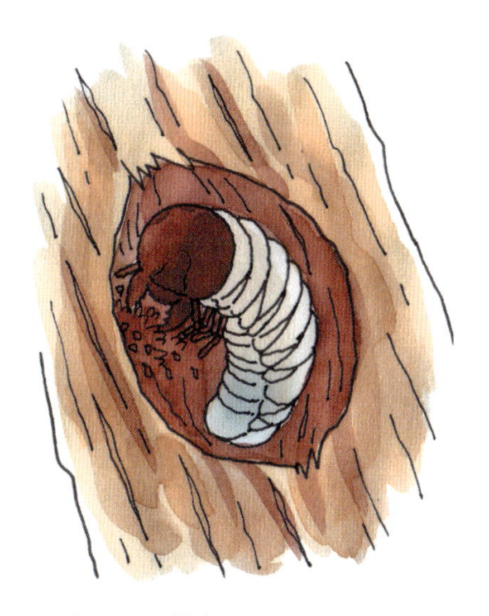

朽ち木をたべる幼虫

3 幼虫の期間に2回の脱皮で「3れい幼虫」に！

卵から、ふ化したばかりの「1れい幼虫」は頭が大きく、体は小さいけれど、朽ち木を食べてグングン大きくなり、じゅうぶんに成長すると、1回目の脱皮をします。

脱皮をするとき、幼虫は体をうごかしながら頭に力を入れて皮をぬぎ、そこから「2れい幼虫」が出てくるのです。その後、2れい幼虫もすっかり大きくなると、2回目の脱皮で「3れい幼虫」となり、成長していきます。

コクワガタのサナギ

「羽化」前のコクワガタ

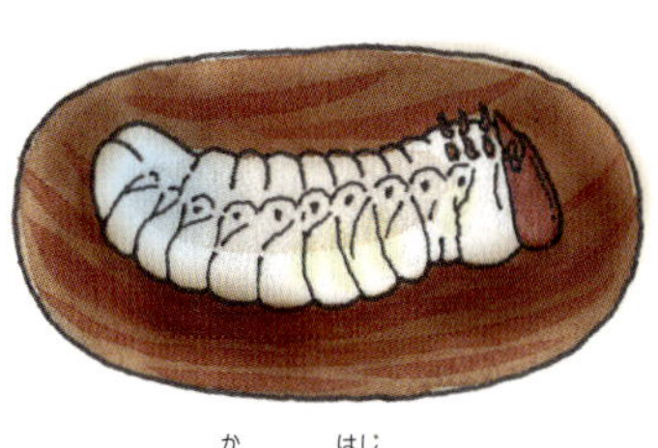

「よう化」の始まり

幼虫からサナギに！

「よう室」を作り、サナギになる！

3れい幼虫から3回目の脱皮でサナギになることを「よう化」といい、その準備をするために「よう室」を作ります。この部屋は、幼虫の体の2倍くらいの大きさで、ヨコに長いだ円形をしています。

よう室を作ってから3週間くらいすると「よう化」が始まりますが、そのときまで、幼虫はおなかを上に向けたすがたでじっとしています。ヨウ化が始まると幼虫の皮がやぶれ、サナギの頭が見えてきて、皮を脱いでいきます。

サナギになったクワガタムシがオスの場合には、大アゴもちゃんとはえているので、メスとの見分けもできます。脱皮したてのサナギは色が白く、やわらかいけれど、時間がたつと茶色に変わり、体もかたくなってきます。

羽化しても、約1年は「よう室」で過ごす！

サナギのオスの頭や大アゴ、足の色が茶色っぽくなってくるとカラのなかで成虫の体に変わってきています。羽化するのは、クワガタムシの種類などによってちがいますが、サナギになってから1カ月くらいかかるといわれます。

羽化が始まると、サナギはおなかを上に向けていたすがたを下に向け、うつぶせになります。そして、カラを割りながら、成虫の体が外に出てくるのです。羽化してすぐの成虫の前羽は白いけれど、やがて体全体が黒っぽくなり、体もかたまってきます。

クワガタムシの多くは、成虫になっても「よう室」で約1年を過ごし、翌年の初夏に、朽ち木の外に出ていきます。

1年1越型

	1	2	3	4	5	6	7	8	9	10	11	12
1年目								卵			幼虫	
2年目				幼虫					サナギ		成虫となり冬を越す	
3年目				成虫のまま冬を越す							野外活動	

2年1越型

	1	2	3	4	5	6	7	8	9	10	11	12
1年目								卵			幼虫	
2年目						幼虫						
3年目				幼虫					サナギ		成虫となり冬を越す	
4年目				成虫のまま冬を越す							野外活動	

コクワガタの「羽化」

「羽化」後のコクワガタ

クワガタムシの幼虫の育て方

幼虫を飼う方法として代表的なものが、「ビン飼育」と「材飼育」です。ビン飼育は市販の菌糸ビンを利用すると、大きなクワガタムシを育てることができるといわれています。この2つのほかに「昆虫マット飼育」もあります。

成虫の飼育ケースで卵や幼虫が見つかる？

カブトムシやクワガタムシをつかまえるために、雑木林に出かけていったとき、林のなかで大人の人に朽ち木を割ってもらうと、クワガタムシの卵や幼虫が見つかることもあるでしょう。

もし、卵や幼虫を見つけることができたら、割った朽ち木をケースなどに入れ、卵や幼虫といっしょに持って帰りましょう。

また、家でオスとメスの成虫を飼っている人は、メスが飼育ケースに入っている朽ち木のなかに、卵を産んでいることがあります。秋のころに朽ち木を割り、卵や幼虫さがしてみましょう。

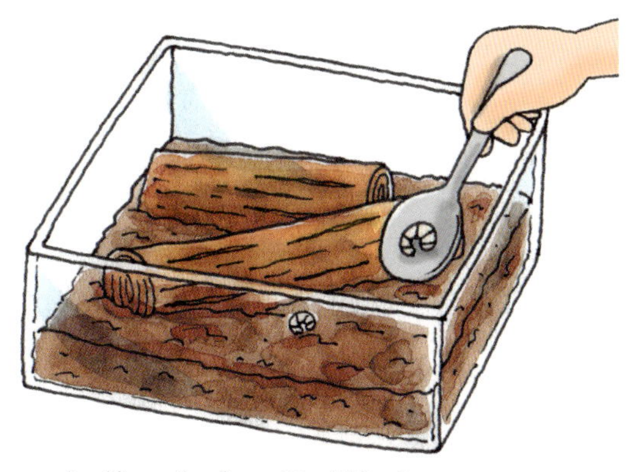

持ち帰った朽ち木から卵や幼虫を見つけたよ

卵を見つけたときには、密閉できるケースなどを用意して、ティッシュペーパーをぬらしてから、卵をその上にそっとおきましょう。また、卵や幼虫は手でもつことはさけ、スプーンを使ってしずかにすくうようにします。

ケースは、部屋の温度が22度くらいの場所におきましょう。卵は2週間から3週間くらいすると「ふ化」して幼虫になります。

ふ化して幼虫がいっぱい

毎日観察しようね

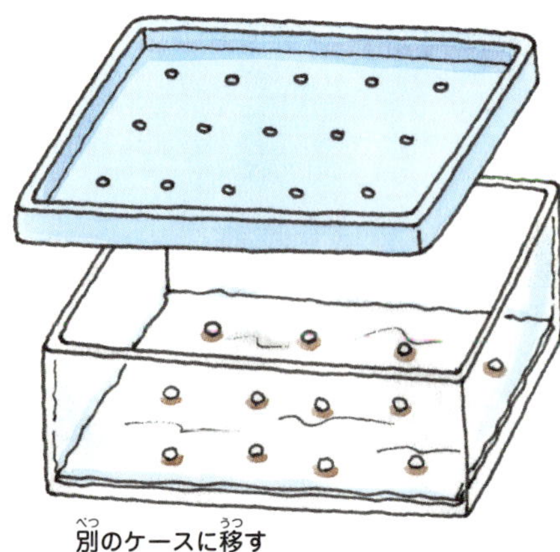
別のケースに移す

パラワンオオヒラタクワガタの幼虫

幼虫のビン飼育

ビンで幼虫を飼育するときは、市販の菌糸ビンを用意するといいでしょう。菌糸ビンには、キノコの菌を人工的にはんしょくさせたマットがびっしりと詰まっています。

ビンのサイズは、大型の代表といわれるオオクワガタの幼虫を入れるなら1000ミリリットル、小型のクワガタムシを入れるなら500ミリリットルくらいのものを選びましょう。

菌糸ビンのフタを取り、マットの表面にスプーンなどで穴をあけ、そのなかに幼虫を入れます。幼虫はマットのなかにもぐっていくでしょう。ビンは日かげですずしい場所においてください。

クワガタムシの幼虫が大好きな菌糸のついたマットは、栄養もあるので、これを食べると大きく育ち、羽化までの期間も短くなるといわれています。

ビン飼育では、ほとんどの種類が約1年で幼虫からサナギ、成虫へと成長していきます。この間に、幼虫はサナギになるための「よう室」を、ビンの内側の壁を利用して作ります。

市販の菌糸びんで飼育

よう室を作っているようすがわかるよ

ビンの外から幼虫がサナギ、成虫に変わっていくようすが見られるので、それを楽しみながら育てることができるのです。

でも、この時期にビンをゆすったり、うごかしてしまうと、サナギになれないこともありますから、気をつけてください。

幼虫がマットを食べると、白い色から茶色へと変わります。白い部分がなくなったら、幼虫を新しい菌糸ビンにうつしてあげましょう。

コンフキウスノコギリクワガタのサナギ

コンフキウスノコギリクワガタの羽化

コンフキウスノコギリクワガタの成虫（オス）

幼虫の材飼育

雑木林などから持ち帰った朽ち木（ない場合は市販の朽ち木）に幼虫を入れて育てるので、自然の状態によく似た飼育法といわれています。

朽ち木は、太さが 10cm、長さが 15cm くらいあるものが手に入れられるといいでしょう。

この朽ち木を水につけてほどよく湿らせてから、ドライバーなどで穴をあけて、そのなかに幼虫を入れます。このあと、土になりかけたような朽ち木のフレークを穴に詰めますが、フレークは幼虫がそれまですんでいた場所のものであれば、ベストです。

朽ち木フレークは、軽く水をふくませて飼育ケースに詰め、そのなかに、幼虫を入れた朽ち木を表面から見えなくなるまで埋めこみます。ケースには、小さな穴を数カ所あけたビニールなどをかぶせて、ビン飼育と同じように、日かげのすずしい場所におきましょう。

飼育のための環境をととのえたら、このあとは半年に1回くらい、朽ち木をケースから取りだして、

集めた朽ち木

ギラファノコギリクワガタの幼虫

集めた朽ち木を土の上にのせる

集めた朽ち木をけずったもの

ようすを見てみます。

朽ち木がボロボロになっていたり、くさっているようなときには、幼虫を新しい朽ち木にうつしてあげましょう。

材飼育は自然の環境に近いぶん、成虫になるまでに1年から2年くらいかかるので、ビン飼育にくらべると、気の長い飼育法ともいえます。

また、ケースの外から幼虫が成長していくようすは見られないので、初めて、幼虫を飼う人はビン飼育のほうがおすすめです。

フェモラリスツヤクワガタの成虫（オス）

ストリアータツヤクワガタの成虫（オス）

パラワンオオヒラタクワガタの成虫（オス）

幼虫の昆虫マット飼育

幼虫のエサである昆虫マットを、飼育ケースやビンに敷きつめてから穴をあけ、そのなかで幼虫を育てるものです。

飼育ケースに幼虫を入れるときには、大きさにもよりますが、できれば1つのケースに1匹というのがいいでしょう。

昆虫マットは少し湿っていたほうがいいのですが、マットに水分をあたえて、手でにぎってみて、固まるくらいのものがちょうどいいようです。

このマットをケースの高さの半分くらいまで入れて、コップなどの底で固めてから使ってください。

幼虫を育てているときも、マットがかわかないように、ときどき、きり吹きなどで水分を補給しましょう。

フタを数カ所、小さな穴をあけてから、空気穴をあけたビニールなどをかぶせます。

幼虫がエサをたくさん食べれば、そのぶん、フンもふえてきます。

マットの表面がよごれてきたら、新しいものと取りかえてあげましょう。

タランドゥスオオツヤクワガタの成虫（メス）

クワガタムシの成虫を育てよう！

日本にすんでいるクワガタムシは36種類くらいといわれていますが、多くの種類は成虫の活動期間が短いようです。でも、家庭で飼育する場合には長く生きられる種類もいるので、じょうずに育ててみませんか？

長く生きられるクワガタムシの種類は？

クワガタムシのなかでも、ノコギリクワガタやミヤマクワガタなど多くの種類は、夏に成虫が朽ち木の外に出て活動を始めても、夏の終わりから秋のころには死んでしまうといわれます。種類によっては活動期間がもう少し長いものもいますが、雑木林など、自然の環境のなかでは、長生きをすることはなかなかむずかしいようです。

その一方、家庭でたいせつに飼育した場合には、長く生きられる成虫もいます。その代表的なものがオオクワガタで、一般的に寿命は2～3年といわれています。また、コクワガタやヒラタクワガタなども1年～1年半くらい生きられるようです。

ここで紹介したような、長生きできそうな成虫を家庭で飼えば、

クワガタムシと仲良しになることもでき、楽しい毎日が過ごせるのでは……。

家で飼育すると長生きする？

成虫に冬を越させるにはどうする？

クワガタムシの一部には、冬を越すための準備を始める種類もあるけれど、自然の環境のなかでは、冬を越すものはほとんど見られません。

こんな自然の環境にくらべると、家庭での飼育なら、クワガタムシを冬越しさせることもできるといわれています。

冬越しの前に、成虫の活動がにぶくなってきたら、飼育ケースを暗い場所にうつしましょう。このとき、ケースに小さな穴を何カ所かあけたビニールなどをかけます。

成虫が昆虫マットにもぐって冬眠を始めたら、ときどきマットを見て、かわいている場合には、水分を少しあたえてください。

エサは春になって活動を始めたときにあげましょう。

コクワガタの成虫（オス）

ヒラタクワガタの成虫（オス）

成虫は市販のプラスチックケースで育てる

クワガタムシの成虫を飼うのは、カブトムシにくらべると少しむずかしいけれど、長生きできる種類もありますから、それを楽しみながら育てましょう。

成虫を飼育するための用具類

クワガタムシの成虫を飼育するために必要な用具類は、カブトムシとほとんど同じです。ただ、クワガタムシの場合には、産卵場所となる朽ち木も必要になってきます。

飼育ケース

昆虫専門のショップなどで販売している透明のプラスチックケースがいいでしょう。ヨコの長さが 30cm くらいのケースがおすすめ。40cm くらいの大きさの水そうを用意するのもいいです。

夜の間に、成虫が逃げださないように、フタがきっちりとしまるものを選びましょう。

昆虫マット

コナラやクヌギの木をくだいて作られた発酵マットなど、ショップには昆虫マットがいろいろありますが、ショップの人にクワガタムシの成虫に向いているマットを教えてもらい、それを選ぶといいでしょう。

朽ち木・木の枝

朽ち木はメスが産卵するところなので、この木を1本～2本用意します。クヌギやコナラの朽ち木を数日間、水にひたして水を吸わせ、やわらかくしてから使いましょう。

つぎに、柔らかくなった木の皮をむきますが、これは子どもではチョットむずかしいので、大人の人にお願いしましょう。皮をむくときは全部ではなく、一部をのこしておくようにしてください。

エサ

カブトムシの成虫と同じで、エサは市販の昆虫ゼリーをはじめ、リンゴやバナナなど熟したくだもの、さとう水や乳酸飲料をワタか小さなスポンジにしみこませたものなどを使います。

くだものやワタ、スポンジは小さな皿にのせ、ゼリーはエサ台におきます。

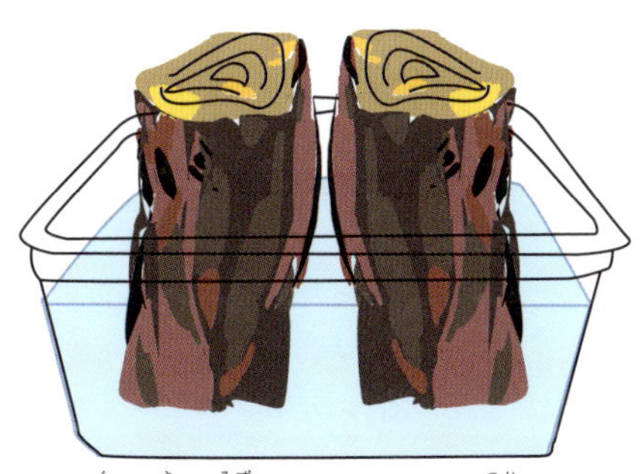

朽ち木は水にひたしてから使う

成虫の飼育ケースの作り方

昆虫マットに、きり吹きなどで水をふくませ、手でにぎってみて少し固まるくらいのものを用意し、飼育ケースのなかに入れます。マットをケースの高さの１／３くらいまで敷きつめたら、コップなどの底でしっかり固めましょう。

昆虫マットをよく固めたあと、その上に、水で湿らせたマットをケースの半分くらいまで入れますが、このマットは固める必要はありません。

この昆虫マットに、皮をむいた朽ち木を埋めこみますが、朽ち木は皮をのこした部分がマットの外に出るようにおきましょう。

これは、木がかわくのを少しでもふせげるようにするためのものです。

朽ち木として、雑木林などでひろってきたものを利用するのはさけたほうがいいでしょう。というのも、クワガタムシに向いていない朽ち木であるかもしれないし、朽ち木のなかにクワガタムシの幼虫を食べてしまうコメツキムシの幼虫がひそんでいることもあるからです。

コクワガタの成虫（オス）

オオクワガタの成虫（オス）

最後にエサを入れてあげましょう。これで、飼育ケースのセットは終わりです。

ケースができたら、そのなかに成虫を入れます。クワガタムシは、カブトムシよりも体が平たくて、せまいところにももぐりやすい形をしているので、ケースとフタのすき間から逃げてしまうこともあるため、かならず、フタをしっかりとしめるようにしてください。

エラフスホソアカクワガタのサナギ（オス）

エラフスホソアカクワガタの成虫（オス）

飼育ケースの状態をたしかめる

ケースのなかに入れるのは、同じ種類のオスとメスの1匹ずつまでにしましょう。種類のちがうものを入れたり、同じ種類でもたくさん入れると、ケンカなどの原因に。長生きさせるためにも、これはきちんとまもってね。

夏の終わりごろ、雑木林でつかまえることができた成虫のメスをケースに入れたときは、オスと交尾をしたあとのことが多いので、メス1匹だけでも、卵を産んで、幼虫を見つけることができるかもしれません。

ケースのなかの昆虫マットや朽ち木がかわいていないかどうか、ときどき見ることも忘れないでね。かわいているようなら、少し水をあたえてください。また、マットの表面がよごれてきたら、新しいものと取りかえましょう。

ケースをおく場所は、日かげのところがよく、部屋の温度は20度から24度くらいがいいでしょう。

ノコギリクワガタの成虫（オス）

ノコギリクワガタの成虫（メス）

オスとメスのペアで飼って卵を産ませよう！

飼育ケースで成虫のオスとメスをいっしょに育てると、クワガタムシをふやすことができます。

交尾はエサのあるところでおこなわれることが多いのです。オスは大アゴやしょっ角を使い、同じ種類のメスであることをたしかめてから交尾し、そのあと、メスは産卵の場所となる朽ち木に穴をあけ、卵を産みます。これは、クワガタムシの幼虫が朽ち木のなかで育っていくからです。

産卵するときには、朽ち木が湿っていたほうがいいので、木がかわいているようなら、きり吹きなどで軽く水分をくわえてあげましょう。

ミヤマクワガタの成虫（メス）

ミヤマクワガタの成虫（オス）

クワガタムシの飼育 卵を産ませてみよう！

オスとメスの成虫を育てているなら、産卵をさせてみましょう。環境さえしっかりと整えれば、比較的簡単に卵を産んでくれます。初めて産卵に挑戦するなら、オオクワガタやコクワガタなど国産のクワガタムシがおすすめです。

種類によって違う産卵方法

クワガタムシの産卵方法は種類によって違います。国産オオクワガタのように「産卵木」とよばれるクヌギやコナラなどの木の中に産卵するクワガタムシや、ニジイロクワガタのように発酵した土の中に産卵するクワガタムシもいます。

メスのいるケースにオスを入れて交尾させ、3～4日たったらオスは別のケースに移します。

産卵場所を準備する

クワガタムシに卵を産ませるには、それぞれの種類に適した「産卵セット」を用意する必要があります。国産のオオクワガタを産卵させる場合は、飼育ケースから産卵木やエサなどがそろった市販の「産卵木セット」を使うといいでしょう。

ここに交尾を終えたメスだけを収容します。飼育ケースは直射日光をさけ、静かな場所に置いて、1カ月ほど様子をみます。

卵は1カ月ほどで産まれる

クワガタムシの卵は産卵木に産みつけられます。木に穴が開いていたり、けずられている様子が確認できれば産卵している可能性があります。ケースの外から観察しましょう。

1匹のメスから生まれる卵の数は10～20コくらい。卵の色はカブトムシの卵と同じく、白っぽいだ円形です。

ふ化した幼虫がいっぱい

卵ですごす期間は2～3週間くらい

木がけずられていたら、メスが外に出ているときに木を取り出して観察しましょう。そこからさらに1カ月ほど様子をみます。

卵が「ふ化」して幼虫が出てくるのは、卵が産まれてから2～3週間過ぎたころです。「ふ化」した幼虫は5mmくらいの大きさになります。

幼虫がある程度の大きさになったら、幼虫を傷つけないように産卵木からやさしく取り出し、ビンなどで飼育しましょう。

幼虫の飼育については「クワガタムシの幼虫の育て方」(p.105)を参考にしてください。

集めた朽ち木をけずって作ってみた

元気に活動
しているね！

6章
じょうずに
育てるための
Q&A

チョット聞きたいこと、おしえてください！

初めて、カブトムシやクワガタムシを飼ったとき、みんなは知っているかもしれないけれど「ボクにはわからない」「どうしたらいいの？」といった小さなギモンは、きっとあるはず。そこで「チョット聞きたいこと」を、昆虫の先生におしえてもらいました。カブトムシやクワガタムシを育てるときの参考にしてくださいね。

Q1

カブトムシの幼虫を飼っているのだけど、幼虫に毛がはえているように見えます。これはナニですか？

A1

幼虫の体の表面にある細かい毛は、さわった感覚（触覚）の意味があるのと、土のなかで生活している幼虫の体表がその土でよごされないようにするため、まもっているのです。この毛は、幼虫がサナギになるために、脱皮するときに取れます。

Q2

クワガタムシの種類は、大アゴの形のちがいで見分けられると聞いたけど、ほんとうですか？

A2

たしかに、大アゴの形はそれぞれ種類によってちがうので、見分けることができます。でも、すべてが見分けられるということではなく、見分けがつかないこともあるのですよ。たとえば、ミヤマクワガタは大型のクワガタムシですが、成長の過程で、小さな成虫になるものも

います。そうすると、アゴの発達のしかたも変わってきます。これは育ったときの栄養分がたりないために起こるもので、寒いところ、暑いところといった環境の影響を受けることはあまりありません。そうすると、アゴだけでは区別がつきにくくなるのですよ。

Q3

飼っているカブトムシを見たいと思うけど、昼間には見られません。夜にうごき回るのですか？

A3

カブトムシやクワガタムシが活動を始めるのは、だいたい夜の7時ごろ、日没のころからです。夜中の活動はにぶくなりますが、夜明け前にまた少し活動して、日が上がる前に、土にもぐって休んでしまいます。体が黒っぽいため、日差しのある気温が高い昼間は、体温が上がってしまうので外に出ないのです。

Q4

カブトムシとクワガタムシの幼虫は見分けられるって聞いたけど、ほんとうですか？

A4

カブトムシはコガネムシ科で、クワガタムシはクワガタムシ科です。属している科がちがいますから、幼虫の肛門を見ると、見分けがつきます。カブトムシの幼虫は肛門部が一の字形ですが、クワガタムシの幼虫のおしりは、うしろから見ると肛門がＹ字形で、その両側にまるい紋があります。

自然の環境で育った幼虫を見つけたのなら、すんでいた場所で見分けられます。カブトムシは腐葉土（くさった落ち葉）などのなかにいますし、クワガタムシは朽ち木のなかにいますからね。

Q5

昆虫ショップで売っているものは、クワガタムシのほうがカブトムシの値段よりも高いけど、どうしてですか？

A5

カブトムシの飼育は比較的カンタンにできますが、クワガタムシは飼育がむずかしいということ。クワガタムシは種類が多いのですが、値段はピンからキリまであり、売ってもゼンゼン売れない種類もいるのです。オオクワガタなど大型で、いかにも強そうなものはやはり人気があるので、とうぜん値段も高くなります。

また、カブトムシは飼育中の変化を細かく観察することができますが、クワガタムシは朽ち木のなかで生活しているので、そのようすがよくわからない。こういったことも値段に影響するかもしれませんね。

もうひとつは、カブトムシは養殖されたものが売られていますが、クワガタムシは養殖がむずかしく、自然のものが売られていることが多いのです。でも、自然のもので見つかりにくいものは数も少ないですから、どうしても高い値段になってしまいます。なかには、オスで１匹５万円以上というクワガタムシもいます。

Q6

カブトムシの幼虫を育てるのに、ショップで売っている腐葉土は使わないほうがいいって聞いたけど、なぜですか？

A6

カブトムシの幼虫は腐葉土を食べて育つのですから、腐葉土は必要です。もちろん、自然の腐葉土はいいけれど、昆虫専門ショップで売っている飼育用の腐葉土は安全ですから、使ってもだいじょうぶです。問題なのは、園芸店で売っているものですね。植物を育てるための腐葉土ですから、薬品がまざっている可能性があり、土のなかにいるコガネムシなどを殺してしまいます。カブトムシの幼虫もコガネムシの仲間なので、そういう薬品が入っていれば、死んでしまうわけです。園芸店のものはさけて、専門ショップなどで買うようにしてください。

Q7

飼育ケースをおく場所として、直射日光にあたるところはダメで、すずしいところはいいというので、夏場はエアコンを使っている部屋にケースをおいています。これは、だいじょうぶですか？

A7

エアコンを使っている部屋など、飼育ケースを乾燥させてしまう場所はよくありません。風通しがよく、温度が一定している場所におくのがいいですね。日当たりのいい場所は朝・昼・晩の温度も変化があり、温度差が出てしまいますし、乾燥にもつながってきます。ですから、直

射日光があたる場所など、日あたりのいい部屋はさけたほうがいいのです。ただ、少し湿っていたほうがいいといっても、湿りすぎている場所はムレてしまうので、気をつけてください。

Q8

カブトムシの幼虫を飼い始めたのですが、どんなことに気をつけたらいいですか？

A8 毎日、飼育ケースをちゃんと観察してあげること。幼虫を育てるのに、たいせつなことは「エサ」と「湿気」です。エサの腐葉土はじゅうぶんか、幼虫が食べているかどうか、見てください。

観察しているとわかりますが、幼虫がエサを食べると、とうぜんフンをしますが、フンは土と同じような色の小さなかたまりで、土と見分けがつきにくい。そのため、エサはじゅうぶんにあると思って、そのままにしておくと、幼虫は死んでしまうこともあります。ですから、毎日、ケースのなかを観察して、腐葉土の状態を見ること。

土の表面にフンがたまってきたら、それを取りのぞいて、かわりに新しい腐葉土を入れてください。

土がかわいているように見えたら、土に少し水をあげることもだいじですね。また、幼虫が土のなかにもぐっていて、外から見ることはできないときに、見たいからといって、土のなかから掘りだすようなことはしないでください。体にキズがつき、死んでしまうこともありますよ。

Q9

幼虫を飼っているけれど、幼虫でも病気にかかることがありますか？　チョット心配です……。

A9 幼虫の体に黒いアザとか、ホクロのようなものができていることがありますが、そういう黒い点ができたときは、病気やケガなどの可能性が

ありますね。体にキズがつくと、かならず、そういうものができてきます。

飼育ケースに２匹以上の幼虫を飼っているとき、１匹の幼虫の体に黒い点ができたら、ほかの幼虫とケースを分けましょう。

ウイルス性の病気の場合には、ほかの幼虫にもうつってしまいますからね。

飼うときの注意点として、土の湿気が多すぎると、病気になりやすく、黒い点が出ることがあるので、湿気にはじゅうぶん気をつけなければいけません。反対に、乾燥しているときなどは体にキズがつきやすいので、これも注意が必要です。

残念ながら、この病気を治すことはできないので、その幼虫をしずかに見まもってあげてください。

Q10

クワガタムシの成虫を飼っていますが、冬越しさせるには、どうしたらいいですか？

A10

家で飼育している人のなかには、成虫を５年くらい飼うことができたという例もあります。クワガタムシの寿命は、種類によってちがいますが、家で飼っていて２～３年生きられるような場合は、冬になる前の秋のころ、よく活動しているときに、エサをじゅうぶんにあたえることです。冬になると、土にもぐってしまうと思いますが、その時期は、うごきませんからね。

ただ、体を凍らせたりしないように気をつけてください。

人間は体温があるので、寒いときもうごくことができますが、虫の場合は体温がほとんどないため、外が冷えてくると、筋肉がうごかなくなってしまう。それで、うごくことができなくなるわけです。でも、生きている間は虫にも代謝がありますから、自分の体の栄養を使って生きているのです。だから、秋のうちに、じゅうぶんに栄養をたくわえていないと、冬の間に代謝ができなくなるのですよ。

でも、室内を適度に温めておくと、成虫は土から出てきて、エサを食べます。ですから、室内で飼っているようなときには、エサはおいておくといいでしょう。

Q11

カブトムシの体に小さな虫がついているような気がします。これはナニ？　どうしたらいいですか？

A11

カブトムシやクワガタムシの成虫についている小さな虫は、ダニです。ダニは成虫が排出する分ぴつ物を食べるのですよ。

ダニが見つかったときは、成虫に少し水をかけてから、使わなくなった歯ブラシで、そっとこすり落としてあげましょう。

でも、歯ブラシでゴシゴシやると、体にキズがついてしまうので、気をつけてください。

成虫の体をきれいにしたら、飼育ケースのそうじをしましょう。ケースを洗い、土（マット）や朽ち木も新しいものと取りかえてください。また、同じケースで2匹以上飼っているときは、ほかのカブトムシやクワガタムシにダニがうつってしまうので、ケースをそれぞれ分けてあげましょう。

もうひとつ、気をつけたいのは、ケースのなかの土などの水分が多すぎたり、エサをそのままにしておくと、カビがはえることです。これも、成虫の病気の原因になることもありますから、ダニと同じように、新しいものと取りかえましょう。

Q12

飼育ケースをあけているときに、ハエが入ってしまいました。こんなときは、どうしたらいいですか？

A12

ハエが入ってしまう心配があるときは、飼

育ケースの内側に昆虫ショップなどで売っている「ハエとり紙」をつけるといいですね。ハエとり紙は、表面にノリがついていますから、ケースに入ってきた小バエが紙にくっついて、うごけなくなります。

いまは、ハエが入ってこないように作られている飼育ケースも売られていますから、ショップの人に聞いてみてください。

アルケスツヤクワガタのサナギ

アルケスツヤクワガタの成虫

アルケスツヤクワガタの成虫（オス）

カブトムシ

クワガタムシ

標本を作ってみよう！

カブトムシやクワガタムシを家で飼っていて、死んでしまったとき、そのままにしておくと、くさってしまうこともあるので、すぐに飼育ケースから出しましょう。そのあと、標本にすれば、長くのこしておくことができます。

標本の作り方

標本を作るのは、むずかしいように思うかもしれないけれど、作り方をおぼえてしまえば、それほどむずかしいものではありません。たいせつにしていたカブトムシやクワガタムシですから、ぜひ、標本を作ってみましょう。

用意するものは、ピンセット、虫ピン、ボンド、発泡スチロールまたはコルク板、フタのついている箱、防虫剤、カット綿、ティッシュペーパーです。

作り方その1

死んでしまった成虫は、体がかたくなっていることがあるので、お湯にしばらくつけて、やわらかくなったら、ティッシュペーパーなどで体をふきます。こうすると、体についていたよごれも取れます。お湯があまり熱いと、足の関節などが伸びてしまい、あとで形をととのえようとしたときに、足を曲げるのに時間がかかってしまうことも……。お湯はぬるま湯か、少し熱いくらいのものを用意してくださいね。

作り方その2

お湯につけたあと、カット綿などの上にのせて、ティッシュペーパーで水分をふきとってから、ピンセットである程度、形をととのえます。

つぎに、発泡スチロールまたはコルク板の上にのせて、カブトムシやクワガタムシを固定するために、右の前羽の上のほうに虫ピンをまっすぐさします。

発砲スチロールなどにのせて、形をととのえる

作り方その3

虫ピンをさし終えたら、虫ピンを使いながら、大アゴ（クワガタムシのオス）や、しょっ角、足の形をととのえていきます。もし、足などがちぢんでいるようなら、そこを広げてから、ピンをさしましょう。虫ピンは、しょっ角や足に直接ささないで、そのまわりにさすようにしてね。

作り方その4

形をととのえたあとは、風通しのいい場所で乾燥させます。小型から中型の成虫の場合は１～２カ月くらいかかり、大型のものはもう少し時間がかかるようです。

標本の仕上がりの参考

ラベルをつけて、防虫剤をいれる

また、乾燥させている途中で、こわれてくることもあるので、形をととのえるときには気をつけてね。もし、しょっ角や足が取れてしまったときは、ピンセットを使って木工用などのボンドでつけ直してあげましょう。

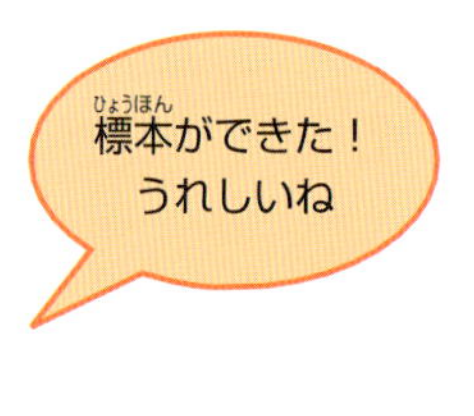

作り方その5

じゅうぶんに乾燥させたら、しっかりしたフタのついた箱に入れます。このとき、カブトムシやクワガタムシの種類、採集した場所、採集した日づけ、標本を作った日などを書いたラベルもいっしょにつけておきましょう。

また、箱のなかには、防虫剤を入れておくのも忘れないでね。これで、標本はできあがりです。

多摩動物公園の標本　参考にしましょう

虫たちを観察、標本でまなぶ昆虫館

カブトムシやクワガタムシの生態を観察したり、世界や日本の虫たちの標本を展示する部屋やコーナーでまなぶことができる昆虫館。機会があったら学校の休みの日や夏休みに出かけてみましょう。

ギラファノコギリクワガタ
（佐久平ハイウェイオアシス「パラダ」 昆虫体験学習館）

ヘラクレスオオカブト
（ふくしま森の科学体験センター ムシテックワールド）

ファブリースノコギリクワガタ
（足立区生物園）

オウゴンオニクワガタ
（北杜市オオムラサキセンター）

東京都多摩動物公園

多摩動物公園の中には二つの昆虫施設がある。昆虫園本館1階のフロアには、ゲンゴロウなどの水生昆虫が展示されている。2階のフロアにはナナフシや甲虫類の実物や、昆虫のからだや動きを説明する模型、標本、映像、パネルなどを展示している。いちばんの見どころは、世界最大の南米産甲虫ヘラクレスオオカブトだ。

また、チョウなどを放し飼いにしている大温室がある昆虫生態園では、温度をしっかりと管理しているので、冬でもカブトムシの成虫を見ることができる。

住　所／東京都日野市程久保 7-1-1
電　話／ 042-591-1611
ホームページ／ https://www.tokyo-zoo.net/zoo/tama/
開　園／ 9時30分～17時（入園は16時まで）※昆虫園は16時30分に閉館
水曜（祝日や振替休日、都民の日の場合は翌日）と12月29日～1月1日休み
入園料／一般 600 円、小学生以下と都内在住・在学の中学生は無料

正門を入って右手にある昆虫園本館

外国産の昆虫が展示されている昆虫園本館

ヘラクレスオオカブトの成虫

取材協力・写真提供：（公財）東京動物園協会 多摩動物公園

足立区生物園

飼育している生き物は、昆虫や魚類、両生類や鳥類など約 500 種。屋外展示場にはふれあいコーナーがあり、動物にふれることができる。

おもにオーストラリアに生息し、名前のとおり体が虹色にかがやいていることから、世界で一番美しいクワガタといわれるニジイロクワガタや、メキシコ南部から南アメリカ大陸中部の熱帯雨林地帯に生息する、世界最大級のカブトムシのヘラクレスオオカブトも展示している。

住　所／東京都足立区保木間 2-17-1
電　話／ 03-3884-5577
ホームページ／ https://seibutuen.jp/
開　園／ 9 時 30 分～ 17 時（11 月～ 1 月は～ 16 時 30 分、足立区が定める夏休み期間中は～ 17 時 30 分）
月曜（祝日や振替休日、都民の日の場合は翌日）と 12 月 29 日～ 1 月 1日休み。足立区が定める春休み、夏休み、冬休み期間中は無休
入園料／高校生以上 300 円、小中学生 150 円

元渕江公園内にある足立区生物園

虹色にかがやくニジイロクワガタ

大きな角をもつカブトムシのオス

ミュージアムショップではさまざまなオリジナルグッズが買える

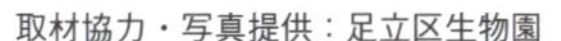
取材協力・写真提供：足立区生物園

ふくしま森の科学体験センター　ムシテックワールド

一年を通して、カブトムシとクワガタムシの成虫を展示しているほか、毎年夏休み期間には「世界のカブトムシ・クワガタムシ展」が開かれる。自然体験プログラムが充実していて、カブトムシ、オオクワガタ、ニジイロクワガタなどの幼虫飼育講座もあるので、ぜひ参加してみよう（予約制）。

エントランス前にあるカブトムシとゾウムシのステンレス製の巨大昆虫模型は、実際に乗って写真撮影をすることができる。

住　所／福島県須賀川市虹の台 100
電　話／ 0248-89-1120
ホームページ／ http://www.mushitec-fukushima.gr.jp/
開　館／ 9 時～ 16 時 30 分
月曜休み（祝日を除く）、祝日の翌日（土日を除く）と 12 月 29 日～ 1 月 3 日休み
入館料／おとな 410 円、高・大学生 200 円、小・中学生 100 円

巨大ステンレスの昆虫にワクワク

東南アジアに生息するギラファノコギリクワガタ

昆虫をテーマにした体験型の科学館

黄褐色が特徴のメンガタクワガタ

取材協力・写真提供：ふくしま森の科学体験センター ムシテックワールド

つくば市　豊里ゆかりの森　昆虫館

東京ドーム3倍ほどの広さに、アカマツとクヌギの平地林が広がる自然公園にある昆虫館。里山風景が広がる屋外では、季節ごとにカブトムシやクワガタムシをはじめ、セミ、オニヤンマ、オオムラサキなどの生態観察ができる。

ゆかりの森には宿泊施設やキャンプ場が併設されているので、夏休みに「虫捕りキャンプ」も楽しめる。カブトムシやクワガタムシを採集するのもいいし、じっくりと観察するのもいい。

住　所／茨城県つくば市遠東676
電　話／029-847-5061
ホームページ／http://www.tsukubaykr.jp/
開　園／9時～17時
　　　　月曜休み（祝日のときは翌日）、年末年始休み
入園料／おとな220円、小中高校生110円

自然公園の中にある昆虫館

ずらりと並んだ標本のほか、ヘラクレスオオカブトなども観察できる

子どもたちに人気のキノコ型スペースキャビン

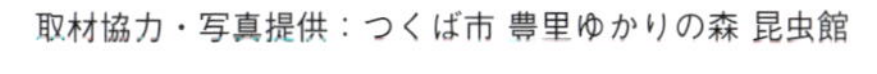

取材協力・写真提供：つくば市 豊里ゆかりの森 昆虫館

群馬県立ぐんま昆虫の森

45haもの広大な敷地に、雑木林や田畑、小川などの里山が再現されている。季節ごとの昆虫たちが観察でき、夏になるとたくさんのカブトムシを見ることができる。

メイン施設の昆虫観察館では、クワガタやゲンゴロウなどの里山に住む昆虫をはじめ、ヘラクレスオオカブトなど世界の昆虫を見ることができる。また、ふれあい温室では亜熱帯のチョウが飛ぶ様子を観察できる。昆虫グッズがそろうミュージアムショップも楽しい。

住　所／群馬県桐生市新里町鶴ヶ谷460-1
電　話／0277-74-6441
ホームページ／http://www.giw.pref.gunma.jp/
開　園／9時30分～16時（入園は15時30分まで）
月曜（祝日のときは火曜）と12月27日～1月5日休み
入園料／一般410円、大学生・高校生200円、中学生以下無料

建築家・安藤忠雄氏が設計した昆虫観察館

昆虫観察館で観察できるクワガタムシ

カブトムシを飼う環境をじっくり観察しよう

取材協力・写真提供：群馬県立ぐんま昆虫の森

北杜市オオムラサキセンター

本館・森林科学館のほか、雑木林を網で囲った生態観察施設「びばりうむ長坂」の３つの施設がある。周囲には里山を再現したオオムラサキ自然公園があり、さまざまな昆虫が観察できる。森林科学館や「びばりうむ長坂」では、自然に近い生育状態でカブトムシやオオムラサキを見ることができる。

春から秋には世界のカブトムシ・クワガタムシとふれあえる「カブト・クワガタふれあいの森」を開催。あこがれの昆虫たちをまぢかで観察しよう。

住　所／山梨県北杜市長坂町富岡 2812
電　話／ 0551-32-6648
ホームページ／ http://oomurasaki.net/
開　園／ 9 時～ 17 時（7 月～ 8 月は～ 18 時、12 月～ 3 月は～ 16 時）
月曜（祝日のときは翌日）、祝日の翌日（土・日曜日を除く）、12 月 28 日～ 1 月 4 日休み。7 月下旬～ 8 月は無休
入園料／おとな 420 円、小中学生 200 円、幼児無料

蝶の形をした本館を中心にオオムラサキ自然公園が広がる

生きたカブト・クワガタとふれあえる

国蝶オオムラサキが観察できる「びばりうむ長坂」

あこがれのヘラクレスオオカブト

取材協力・写真提供：北杜市オオムラサキセンター

佐久平ハイウェイオアシス「パラダ」 昆虫体験学習館

佐久市周辺の昆虫を中心に飼育・展示している。飼育ケースとの距離が近いのでじっくり観察ができる。海外産の変わった昆虫の標本も展示している。

館内には常設のふれあいコーナーがあり、ヘラクレスオオカブトやギラファノコギリクワガタなど、海外産のカブトムシやクワガタムシにふれることができる。東側には網室の中で昆虫を放し飼いする国内最大級の「カブトムシドーム」があり、夏休み期間限定で無料公開する。体験プログラムも充実している。

カブトムシ
クワガタムシ

住　所／長野県佐久市下平尾 2681
電　話／ 0267-68-1111
ホームページ／ https://www.saku-parada.jp/
開　園／ 7 月中旬～ 8 月は 9 時～ 17 時 30 分（4 月～ 7 月中旬と 9 月～ 11 月末は 9 時 30 分～ 16 時 30 分、12 月～ 3 月は 10 時～ 16 時）
休みなし（ただし 12・4 月に臨時休館あり）
入園料／おとな 200 円、子ども 100 円

佐久平ハイウェイオアシス「パラダ」にある昆虫館

「カブトムシドームナイトツアー」は夏休み限定の体験プログラム

ヘラクレスオオカブトは世界最大のカブトムシ

取材協力・写真提供：佐久平ハイウェイオアシス「パラダ」昆虫体験学習館

磐田市竜洋昆虫自然観察公園

「サッカーとトンボのまち」磐田市にある、昆虫や自然とふれあうことのできる昆虫公園。雑木林にはカブトムシやクワガタムシ、草花や小川のまわりにはチョウやトンボが飛び交い、池にはメダカや水生昆虫が暮らしている。

こんちゅう館の生態展示室には、ヘラクレスオオカブトやオオクワガタをはじめとした国内外のカブトムシやクワガタムシを飼育・展示。駐車場からこんちゅう館の間にある林や草原では、自由に昆虫採集ができるゾーンがある。

住　所／静岡県磐田市大中瀬 320 番地 -1
電　話／ 0538-66-9900
ホームページ／ https://ryu-yo.jp
開　園／ 9 時～ 17 時　木曜と 12 月 28 日～ 1 月 1日休み
入園料／おとな 330 円、小中学生 110 円、幼児無料

野外公園で思い切り遊ぼう

生態展示室や標本展示室があるこんちゅう館

コクワガタのオス

オリジナルグッズが買える売店

取材協力・写真提供：磐田市竜洋昆虫自然観察公園

監修／小林俊樹

1966年より東京都多摩動物公園に勤務、建設中の昆虫園の発展に尽力する。その後、動物の飼育係長、昆虫飼育係長等を歴任。2003年から2008年まで東京都多摩動物公園動物相談員として、動物関係や昆虫に関する一般からの質問や相談を受け、対応する。現在は昆虫(全般)を専門として研究。

●写真協力／まるぼランド
●イラスト（P58・59　P98）・記事P58・59　P98）協力／まるぼランド

●撮影協力／ビートルファーム
　　　　　（公財）東京動物園協会 多摩動物公園

●撮　　影／白石文丈

●イラスト………………伊東ぢゅん子　佐藤道子

●本文デザイン・DTP…ねころのーむ

カブトムシ&クワガタムシ 飼い方のポイント 増補改訂版
幼虫・成虫の見つけ方から育て方まで

2023年7月10日　第1版・第1刷発行
2025年7月 5 日　第1版・第2刷発行

監修者　小林　俊樹（こばやし　としき）
発行者　株式会社メイツユニバーサルコンテンツ
　　　　代表者　大羽 孝志
　　　　〒102-0093 東京都千代田区平河町一丁目1-8
印　刷　シナノ印刷株式会社

ご意見・ご感想はホームページから承っております
ウェブサイト　https://www.mates-publishing.co.jp/

企画担当：大羽孝志／清岡香奈

※本書は2018年発行の『カブトムシ&クワガタムシ 飼い方のポイント 幼虫・成虫の見つけ方から育て方まで』を元に加筆・修正を行い、新しい内容を追加して「増補改訂版」として新たに発行したものです。